BAIE-DES-CORBEAUX

Sonia Sarfati

BAIE-DES-CORBEAUX

D'après une idée originale
de Sonia Sarfati et François Lévesque

Illustrations de Jared Karnas

la courte échelle

Groupe d'édition la courte échelle inc.
Division la courte échelle
4388, rue Saint-Denis, bureau 315
Montréal (Québec) H2J 2L1
www.courteechelle.com

Direction éditoriale : Carole Tremblay
Révision : Aimée Lévesque
Correction : Marie Pigeon Labrecque
Direction artistique : Julie Massy
Infographie : Catherine Charbonneau

Dépôt légal, 2018
Bibliothèque nationale du Québec

Le Groupe d'édition la courte échelle reconnaît l'aide financière du gouvernement du Canada pour ses activités d'édition. Le Groupe d'édition la courte échelle est aussi inscrit au programme de subvention globale du Conseil des arts du Canada et reçoit l'appui du gouvernement du Québec par l'intermédiaire de la SODEC.

Le Groupe d'édition la courte échelle bénéficie également du Programme de crédit d'impôt pour l'édition de livres – Gestion SODEC – du gouvernement du Québec.

 Financé par le gouvernement du Canada | Canadä

Catalogage avant publication de Bibliothèque et Archives nationales du Québec et Bibliothèque et Archives Canada

Sarfati, Sonia, auteur

   Baie-des-Corbeaux / auteure, Sonia Sarfati ; illustrateur, Jared Karnas.

   (Collection Noire)
   Public cible : Pour les jeunes de 11 ans et plus.

   ISBN 978-2-89774-011-5

   I. Karnas, Jared, illustrateur. II. Titre. III. Collection : Collection Noire (La Courte échelle).

PS8587.A376B34 2018   jC843'.54   C2018-940490-6
PS9587.A376B34 2018

Imprimé au Canada

Pour Judith et Stella,
là-bas au loin, mais
tout près de mon cœur.

S.S.

À Elliott, qui m'apprend
à trouver le temps de dessiner
entre les couches et le bain.

J.K.

prologue

Le sang coulait entre les doigts tremblants du vieil homme. Le filet d'hémoglobine atteignait son poignet quand le vieillard posa sa main sur la toile devant lui, la maculant d'un rouge épais.

— Prends et bois cette offrande, dit-il d'une voix usée. Accueille-moi. Accueille mon âme et préserve-la jusqu'à ce qu'arrive le prochain. Qu'après la vieillesse vienne la jeunesse. Sang! Scelle mon destin et celui de qui suivra!

Le tableau absorba alors le liquide sombre, comme s'il en était assoiffé.

— Parce que je reviendrai. Je reviendrai encore et encore, murmura l'homme en se levant péniblement avant de s'éloigner.

Le grincement d'une porte qui s'ouvre et se referme se fit entendre.

Puis, le silence.

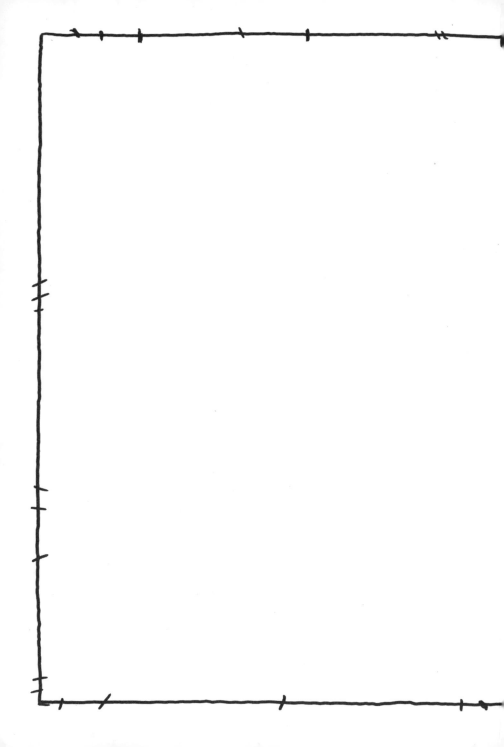

chapitre
1

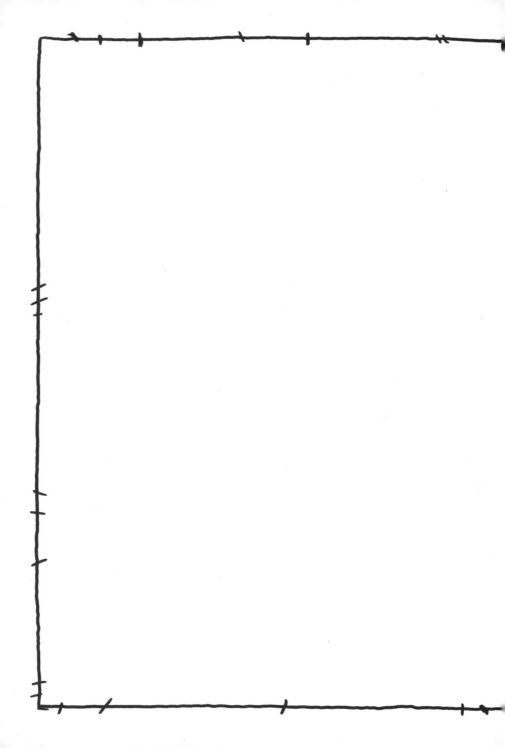

Assis sur le siège du passager, Théo boudait. Sa mère, Marie-Ève, conduisait en faisant semblant de ne pas s'en rendre compte. Sur la banquette arrière, son cousin, Nicolas, était plongé dans un roman. Pas un mot n'était échangé. La tension était palpable dans l'habitacle.

C'était le début du long congé estival, mais aux yeux des garçons, Marie-Ève s'était appliquée à gâcher les vacances.

Elle avait loué une maison à la campagne afin d'avoir la tranquillité nécessaire à la rédaction d'un livre dont elle devait remettre le manuscrit en septembre. Comme elle serait très prise, elle avait invité son neveu, Nicolas, à se joindre à Théo et elle.

Ce serait l'occasion pour les garçons de reprendre contact. Autrefois très proches, ils avaient été séparés pendant deux ans quand

Nicolas et ses parents étaient partis vivre en Alberta.

– Ah! s'exclama soudain Marie-Ève. Rang du Peintre : on arrive.

La maison apparut bientôt.

Elle était massive. Son corps principal, en pierres grisâtres, comptait deux étages et était surplombé d'un toit d'ardoises percé de trois lucarnes. Une aile plus récente, en bardeaux jaune clair, allongeait le bâtiment centenaire.

— Rassure-moi, il y a l'électricité… grommela Théo.

— Il y a l'électricité et même l'eau courante, pouffa Marie-Ève.

Devant la maison s'étalait une vaste pelouse pourvue d'un foyer en acier entouré de fauteuils Adirondack.

Bref, le très ancien côtoyait ici le moderne. Le résultat n'était pas particulièrement esthétique, mais il en imposait.

Marie-Ève récupéra un jeu de clés sous l'un des quatre grands pots en terre cuite flanquant le porche. Elle ouvrit la porte et entra, suivie de ses «prisonniers». Ceux-ci, curieux de découvrir l'endroit, avancèrent dans le couloir et débouchèrent dans une chambre immense.

Adjacente à un petit solarium, la pièce était pourvue d'un lit monumental, d'un bureau massif et d'une petite salle de bains.

— C'est là que je m'installe pour l'été! annonça Marie-Ève, ravie.

— Et nous? Au sous-sol? Dans la grange? bougonna Théo.

– À l'étage. Là où vous ne pourrez pas me marcher sur les pieds. Mais si vous préférez la remise à outils, ça se négocie ! plaisanta sa mère. Allez, je vous laisse découvrir votre royaume pendant que j'aménage le mien.

Les garçons grimpèrent alors au premier. Deux chambres se faisaient face de part et d'autre du couloir.

– Tu as une préférence ? demanda Théo.

– Pas vraiment. Toi ?

Tous deux s'en fichaient pas mal. Nicolas opta donc pour la pièce donnant sur l'avant de la maison. Par la fenêtre, on apercevait la route et, au loin, le village de Baie-des-Corbeaux.

– Un semblant de civilisation, laissa-t-il tomber sur un ton désabusé.

Théo se retrouva ainsi dans la chambre ayant vue sur la partie arrière de la propriété. Il tira les rideaux et vit, à proximité, une cabane plantée à la limite des arbres, probablement la remise à outils mentionnée par Marie-Ève. La forêt s'étendait ensuite, tel un océan d'ombre.

Découragé, le garçon leva les yeux au ciel… et vit la trappe perçant le plafond, fermée par un vieux cadenas. Voilà qui était intrigant.

– Regarde, ils ont verrouillé le grenier! cria-t-il assez fort pour que Nicolas l'entende.

Ce dernier déboula dans la pièce.

– On essaie de le débarrer? Dans les livres, il y a toujours des mystères et parfois des trésors sous les toits.

L'idée plaisait à Théo.

Ils se rendirent au cabanon, d'où ils rapportèrent un escabeau assez haut pour atteindre le plafond de la chambre.

– On ne devrait pas en parler à ta mère, avant? Elle a peut-être la clé, suggéra Nicolas pendant que son cousin s'acharnait sur le cadenas avec différents outils eux aussi trouvés dans la remise.

Théo s'immobilisa. Il n'avait pas pensé à ça alors que c'était l'évidence même.

– Tu as un point! Tu veux aller lui demander? Moi, je continue à essayer…

Il s'avéra que Marie-Ève n'avait pas la clé, mais occupée au téléphone, elle laissa son neveu faire une petite recherche à l'ordinateur. Un quart d'heure plus tard, il annonçait à son cousin qu'il avait ce qu'il leur fallait.

Il lui montrait deux trombones.

— Euh… Explications peut-être ? demanda Théo.

Nicolas s'affairait plutôt à déplier les trombones.

— J'ai fait une recherche sur Internet. Un, mauvaise nouvelle : il est suuuuuper lent. Deux, bonne nouvelle : j'ai trouvé comment on crochète la serrure d'un cadenas, et ça n'a pas l'air compliqué.

Ça l'était plus qu'ils ne le pensaient. Ils y étaient encore une vingtaine de minutes plus tard quand Marie-Ève les appela pour l'aider à préparer le souper.

Ils descendirent à contrecœur, mais portés par l'idée que les vacances venaient de prendre une tournure plus excitante.

Quel mystère, quel trésor allaient-ils trouver dans le grenier ? S'ils avaient su, ils se seraient moins réjouis.

chapitre
2

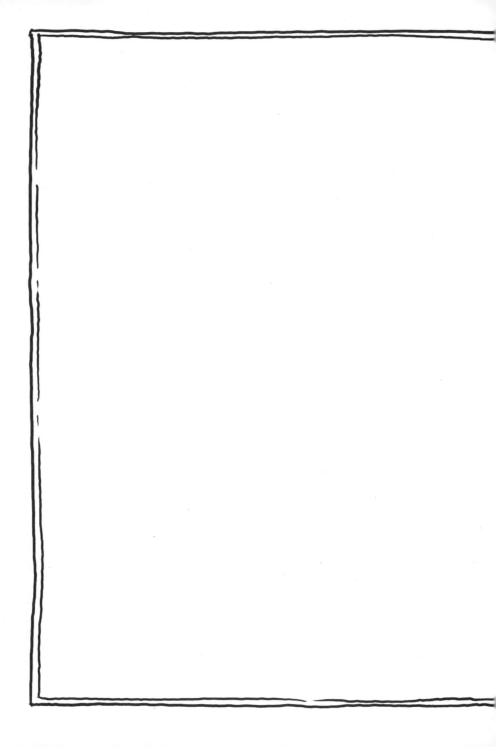

Après le repas, ils passèrent tous trois au salon, où Nicolas ne s'attarda pas.

— Je vais téléphoner à mes parents. Et puis, je suis presque arrivé à la fin de mon roman et, vraiment, j'aimerais le terminer pour enfin savoir qui est le coupable.

Marie-Ève sourit en regardant son neveu qui s'éclipsait, puis son fils.

— C'est beau, m'man, je sais ce que tu vas dire ! la devança Théo. Prends exemple sur ton cousin, la lecture blablabla…

— Exact. Et j'aurais surtout insisté sur le *blablabla*. Une mère s'essaie.

Là-dessus, elle retourna au calepin dans lequel elle griffonnait des idées pour son livre. Son fils attrapa le vieux portable qu'elle lui avait donné et plongea dans les deux derniers épisodes de la série d'horreur de l'heure qu'il avait téléchargés.

Après, il fit le tour des chaînes de la vieille télé qui trônait dans la pièce.

— Il y a juste le câble de base, constata-t-il alors, effaré.

Et cela lui remit en mémoire ce à quoi Nicolas avait fait allusion plus tôt.

— Et Internet? Du basse vitesse? demanda-t-il, appréhendant la réponse.

Au regard que lui adressa sa mère, il sut qu'il avait vu juste.

— Comment je vais faire, moi, pour jouer à *WoW* [1]?!

— Tu joueras à quelque chose d'autre, suggéra Marie-Ève. Il y a plein de jeux de société dans le solarium, et puis, dehors…

Théo se leva. C'était assez. Il réfléchirait plus tard à ce problème majeur. Là, il était en colère. Juste en colère.

— Bonne nuit, fit-il en quittant brusquement la pièce.

À l'étage, aucune lumière ne filtrait sous la porte de Nicolas. Nouvelle déception pour le

---

1 *World of Warcraft.*

garçon, qui espérait surmonter sa déconvenue en explorant le grenier avec son cousin.

– Décidément! maugréa-t-il.

Mais bon, il était tard. Théo se coucha donc.

Comme d'habitude, il s'endormit dès que sa tête toucha l'oreiller.

Un bruit, léger et répétitif, le réveilla quelques heures plus tard.

Il alluma la lampe de chevet et tendit l'oreille.

Toc.

Toc.

Quelqu'un ou quelque chose cognait.

Toc.

Toc.

Il leva les yeux vers le plafond.

Toc. Toc. Toc. Toc. Toc. Toc. TOC!

Oui, ça provenait vraiment du grenier!

Comme chaque fois qu'il s'énervait, sa respiration se fit plus difficile. Il s'empara de l'inhalateur posé sur la table de chevet et prit une grande inspiration.

L'effet fut immédiat. Ses poumons semblèrent lui crier : « Merci ! » Il retourna à l'observation du plafond.

Il allait tirer au clair ce mystère.

Il grimpa dans l'escabeau, s'attaqua au mécanisme d'ouverture du cadenas. Et...

CLIC !

– *Yes !* Oh... *Yes !* souffla Théo, croyant à peine qu'il avait réussi.

Il ouvrit le cadenas, le jeta sur son lit et poussa la trappe.

L'éclairage provenant de sa chambre lui permit d'apercevoir, tout près, la cordelette qui pendait du plafond. Il tira dessus.

La lumière se fit, vacillante, faible, mais révélant une vaste pièce mansardée couvrant toute la surface de la maison. S'il l'avait voulu, Théo aurait pu aller sauter au-dessus de la tête de Nicolas.

Il avança dans le grenier, décidé à en amorcer l'exploration.

Trois poutres massives soutenaient le toit.
Les fenêtres, il y en avait trois, étaient fermées
par de gros volets.

Sur le mur aveugle, couvertes de toiles d'araignée, couraient des étagères où s'alignaient des fioles, des pots et des bocaux poussiéreux. Dans un coin se trouvait un chevalet et, sur le rail horizontal, comme abandonnée, une palette maculée de peinture.

Des dizaines de tableaux de tailles diverses étaient posés à même le plancher de bois, face contre mur. Théo allait en retourner un lorsque le bruit qui l'avait tiré du sommeil se fit de nouveau entendre. Plus près. Plus fort.

Toc

Toc.

Toc.

Toc. Toc. Toc.

Le cœur battant, il chercha à trouver ce qui provoquait le cognement. Il fit quelques pas en direction d'où, lui semblait-il, il provenait.

C'est alors que l'ampoule rendit l'âme.

Le temps qu'il allume son téléphone, le garçon se retrouva dans le noir quasi complet. Seule la lumière provenant de la chambre, en bas, empêchait les ténèbres d'être totales.

À cause de l'angoisse soudaine et, probablement, de la poussière omniprésente, ses poumons se mirent à protester de nouveau. Théo avait besoin de son inhalateur, resté en bas.

Il était presque rendu à la trappe quand…

BAM !

chapitre
3

Nicolas se redressa sur son lit. Une porte venait de claquer. Il faisait nuit et… et pendant une seconde, il se demanda où il était. Puis, il se souvint. La maison de campagne, sa tante, Théo.

Théo !

Il leva la tête. Quelqu'un sautait au-dessus de lui !

Ce ne pouvait être que son cousin, parvenu à monter au grenier.

– Il aurait pu m'attendre… maugréa-t-il en se levant.

Il traversa le couloir et poussa la porte de la chambre voisine. Elle était vide. Le cadenas sur le lit et l'escabeau sous la trappe lui confirmèrent sa théorie.

Nicolas grimpa puis poussa la trappe.

Il eut un choc en voyant le visage de Théo émerger de la noirceur. Ses yeux étaient pleins de larmes et, quand il ouvrit la bouche, sa voix semblait venir d'outre-tombe.

— Po... pompe... coassa-t-il.

Nicolas comprit sur-le-champ. Il avait aperçu l'inhalateur sur le lit, près du cadenas. En deux temps trois mouvements, il l'attrapa, regrimpa et tendit la pompe à son cousin.

Une minute et quelques inhalations plus tard, Théo allait déjà mieux.

— Il n'y a pas l'électricité ? demanda Nicolas en le rejoignant dans le grenier.

— L'ampoule est morte... et j'ai failli faire comme elle. Tu vois, il n'y a plus de poignée de ce côté de la trappe. Si tu n'étais pas venu...

— On va faire simple : tu me dois la vie, gloussa Nicolas en s'éclairant avec le téléphone de Théo qui gisait sur le sol.

À son tour, il vit la cordelette. Il la tira sans succès. Comme l'ampoule se trouvait dans la partie basse du toit mansardé, il put l'atteindre en se mettant sur la pointe des pieds. Il la revissa et la lumière se fit de nouveau.

— Oh, waouh ! souffla-t-il.

À son tour de découvrir le grenier. Le chevalet, les toiles, les étagères chargées de pots : l'endroit avait été autrefois l'atelier d'un artiste !

— Tu partais explorer la caverne d'Ali Baba sans moi ? Il y a peut-être l'équivalent de *La Joconde,* ici !

Tout en parlant, il retourna le premier tableau qui fut à portée de sa main.

Il ne put réprimer une grimace en découvrant ce qui y était représenté. Un lapin au cou brisé, écorché, éventré, entrailles éparses et chairs d'un bleu pourriture, gisant sur une planche à découper.

Théo l'avait suivi et émit un son traduisant son dégoût. Mais, curiosité oblige, il s'empara d'une autre toile. Sur celle-là, des êtres décharnés et nus hurlaient en regardant au loin.

— C'est signé « K », remarqua Nicolas. Aucune idée de qui c'est, mais ça ne devait pas tourner rond dans sa tête.

— Tu veux en accrocher une dans ta chambre ? proposa Théo en rigolant. Je te laisse choisir…

— Non, non ! Ta mère…

— Qu'est-ce qu'elle a, sa mère… et qu'est-ce que vous faites ici au milieu de la nuit ?!

C'était Marie-Ève. Les yeux bouffis, les cheveux en bataille. Et vraiment pas contente.

— Vous retournez vous coucher im-mé-diate-ment. Allez, au pas de course !

Les deux garçons obéirent. De toute manière, la fatigue commençait à se faire sentir.

Quelques minutes plus tard, Théo remontait les draps jusqu'à son cou. Il s'endormit presque aussitôt. Il ne se rendit pas compte que les « toc-toc » avaient repris.

Ni qu'ils provenaient vraiment du grenier.

De derrière une porte rouge.

Une porte rouge peinte sur une toile accrochée dans un coin sombre.

Comme si quelqu'un se trouvait de l'autre côté du tableau.

Quelqu'un.

Ou quelque chose.

chapitre
4

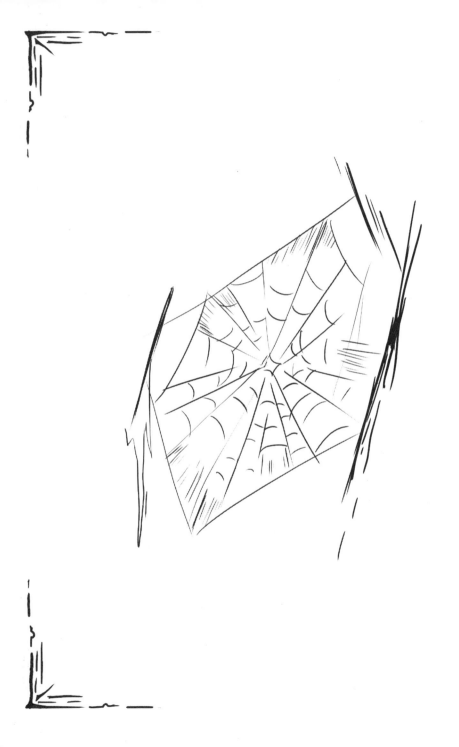

Au matin, le temps maussade et le ciel plombé s'accordaient parfaitement avec l'humeur mi-figue, mi-raisin de Théo.

D'un côté, il avait hâte d'explorer le grenier avec Nicolas. De l'autre, il ne digérait toujours pas que Marie-Ève ait loué une maison pourvue d'un Internet escargot. Il doutait de pouvoir jouer à *WoW* et d'en franchir le niveau 75 auquel il était bloqué depuis plusieurs jours.

— Dommage, murmura son cousin. J'aurais pu t'aider. Je suis à 88.

Les crêpes prirent aussitôt un goût de carton. Théo repoussa son assiette.

— Avant de râler, essayez donc de jouer une partie ! suggéra Marie-Ève. Peut-être que ça va marcher. Sinon, bien… vous aurez une raison de râler et on cherchera une solution. MAIS, d'abord, vous allez faire un tour dehors. Explorez un peu les environs. Un monde de grand air vous attend.

— Un monde de grand air, grommela Théo. Avec du pollen, de la poussière… Tu veux que je fasse une crise d'asthme, c'est ça?

Sa mère s'empourpra.

— Tu racontes n'importe quoi et tu le sais, répliqua-t-elle.

Théo ne répondit pas. Il se contenta de rager intérieurement.

Un coup de tonnerre, suivi du crépitement de la pluie sur les carreaux, se fit alors entendre. Marie-Ève soupira.

— OK, les gars! Si mère Nature se met contre moi, j'abandonne! Faites ce que vous voulez, mais en haut! J'ai besoin de calme.

— En haut comme dans… le grenier? demanda Théo.

— Personne ne m'a dit qu'il était défendu d'y aller. On avait la clé? Ça veut dire que c'est OK.

Les garçons se gardèrent bien de la corriger. Ils poussèrent plutôt un rugissement de satisfaction et, une minute plus tard, ils étaient sous les combles.

D'abord, ils ouvrirent les volets pour laisser passer la lumière du jour et entrouvrirent les fenêtres pour aérer la pièce. L'omniprésence de la poussière et des toiles d'araignée eut vite raison de leur allergie au ménage. Ils se livrèrent donc à une courte, mais intense opération nettoyage.

Puis, ils bricolèrent une poignée à la trappe. Ils ne voulaient plus risquer d'être coincés dans le grenier.

Ensuite, ils s'installèrent. La petite télévision qui se trouvait dans la cuisine fut montée et posée sur une caisse. La console, les manettes et les cartouches de jeu furent éparpillées autour.

Des poufs et des coussins récupérés dans le solarium trouvèrent quant à eux une seconde vie sous les combles.

Enfin, par acquit de conscience, ils branchèrent l'ordinateur de Théo et tentèrent de jouer à *WoW*. Ce fut peine perdue.

– Nintendo ? proposa Nicolas, de guerre lasse.

— Nintendo, répéta Théo, maussade.

Il glissa un jeu dans la console. C'est en retournant s'asseoir qu'il dressa l'oreille.

— Tu entends ça ?

— Quoi ?

— Écoute, répondit Théo en se déplaçant afin de trouver l'origine du bruit. Cette nuit, ça cognait. Là, ça gratte… Tiens, ça vient de là !

Il venait de s'arrêter devant un tableau accroché au mur. Signé d'un K, comme tous les autres, celui-ci représentait une porte. Juste ça. Une porte. Rouge. Un rouge peut-être autrefois vif, mais au ton à présent délavé.

— C'est un peu moins dégueu que ce qu'il y a sur les autres toiles, commenta Nicolas. Ah… mais… tu as raison ! Je l'entends aussi, le grattement ! Il y a peut-être un nid de souris, derrière, dans le mur !

— Pas bête ! Voyons voir.

Théo décrocha la toile et…

— Aïe ! cria-t-il en la laissant tomber.

Il s'était entaillé la main gauche sur un clou bizarrement placé qui pointait derrière la peinture. Assez sérieusement pour tacher l'œuvre de son sang.

Nicolas grimaça en voyant la blessure.

– Ce n'est pas beau. Il faut s'occuper de ça tout de suite.

Ils redescendirent sans toutefois remarquer que le sang de Théo pénétrait dans le tableau abandonné sur le plancher.

Ni que le rouge fané de la porte semblait soudain plus brillant.

chapitre
5

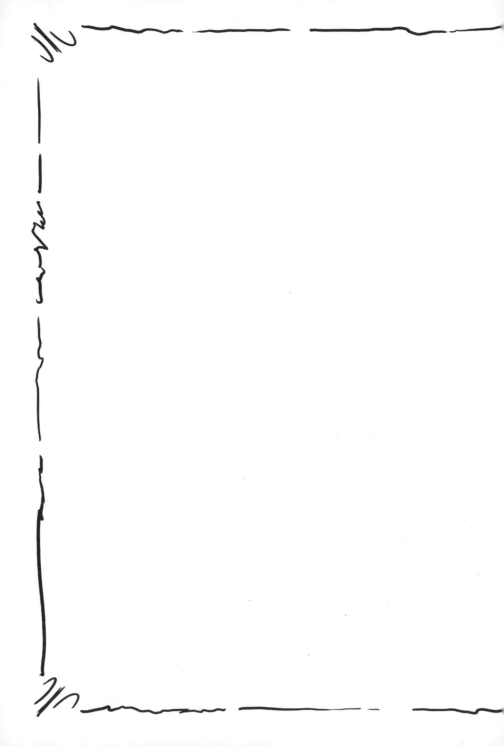

Il ne fallut pas longtemps à Théo, une fois sa plaie bien pansée, et à Nicolas pour retourner dans le grenier. Ils jouèrent à divers jeux vidéo pendant l'heure qui suivit, jusqu'à ce que Théo déclare forfait. Sa main l'élançait au point de le rendre maladroit.

— Je te passe un bouquin pendant que je fais une dernière partie ? proposa son cousin.

— Les livres et moi, ça ne va pas ensemble. Mais ne t'en fais pas, j'ai tout ce qu'il me faut.

Il attrapa l'ordinateur. Prévoyant, il avait téléchargé quelques-uns de ses films préférés. Superhéros, action, Harry Potter et horreur. Il les avait à présent à portée de clavier.

Il empila quelques gros coussins contre le mur et s'installa. Pour coller à l'atmosphère, il sélectionna *The Shining*. Puis, il coiffa son casque d'écoute et plongea dans le long métrage.

Plongea.

Plongea.

Et soudain…

– Hein?! Quoi?!

Théo ouvrit les yeux et s'assit. Fatigué par la mauvaise nuit qu'il avait passée et bercé par le son de la pluie sur le toit, il était tombé endormi.

Tombé «tout croche» sur le lit improvisé. Son dos, son cou et son épaule droite le lui faisaient douloureusement remarquer.

Il lui fallut quelques secondes pour reprendre ses esprits. Nicolas avait abandonné la console, le laissant seul dans le grenier. Théo jeta un œil à son téléphone et constata qu'il avait passé près de deux heures au pays des rêves.

Il déplia ses jambes ankylosées et prit appui sur ses mains pour se redresser.

– Aïe! gémit-il.

Sa blessure! Il examina sa main gauche. Une tache rouge apparut sur le pansement, d'abord à peine perceptible puis de plus en plus nette.

La plaie s'était rouverte.

Scratch, scratch…

Le bruit, bien que léger, le fit sursauter.

Scratch, scratch… Scratch, scratch…

Nicolas avait raison, ce devait être des souris. Théo allait leur jouer un tour en frappant sur le mur. Ce serait drôle de les entendre détaler.

Sauf qu'une surprise l'attendait. Le bruit semblait provenir du tableau lui-même. On aurait dit que quelque chose se trouvait DANS la toile et la grattait de l'intérieur !

– Wôôô !

C'était fascinant, bizarre, mais excitant.

Et impossible. Pour tenter de comprendre, le garçon toucha la toile, la tachant du sang qui imbibait le bandage, et...

— Aïe !!!

Cette fois, il hurla en retirant promptement sa main.

Le contact avec le tableau lui avait donné l'impression de toucher un rond de cuisinière chauffé à blanc. Il examina son pansement et grimaça. La tache de sang avait grossi. Il fit bouger ses doigts. Tout semblait normal.

D'ailleurs, la douleur s'estompait déjà.

Le grattement, par contre, avait gagné en intensité.

— Qu'est-ce que... murmura Théo.

— Bon, tu as fini de te prendre pour la Belle au bois dormant ? !

Nicolas, hilare, émergeait de la trappe.

— Chuuuut ! souffla Théo. Viens ici. Ça a recommencé.

Curieux, Nicolas bondit jusqu'à son cousin. Ils tendirent l'oreille.

Rien.

C'est alors qu'un gargouillement s'éleva… de l'estomac de Théo.

– Ah oui, là, j'entends ! C'est pour ça que je venais te chercher. *Lunch time !* pouffa Nicolas.

Ils venaient de quitter les lieux quand les grattements reprirent. Scratch, scratch… Scratch, scratch, scratch… Un peu plus forts. Un peu plus rapides. Et provenant du tableau.

De plus, maintenant, la porte rouge se déformait, ondulait. On aurait dit qu'une main la poussait de l'intérieur de la toile.

chapitre
6

Théo et Nicolas déboulèrent dans la cuisine, où le soleil, qui avait eu raison des nuages, pénétrait par toutes les fenêtres. Marie-Ève finissait d'y préparer des sandwiches.

— Je ne peux pas faire mieux ce midi. On arrive au bout des provisions que j'ai apportées. Qui m'accompagne au village pour faire des courses et qui reste ici ? demanda-t-elle.

Lorsqu'elle avait signé le bail, Marie-Ève avait rencontré Audrey-Anne, une adolescente du village qui faisait des petits boulots pendant l'été.

— Je l'ai engagée pour s'occuper de la pelouse. Elle doit passer tout à l'heure, mais le tracteur à gazon est dans la remise à outils et elle n'en a pas la clé.

— Laisse-la-moi, je vais la lui donner ! De toute manière, avec ma blessure, je ne te serai pas utile pour porter les trucs.

L'empressement de Théo fit un peu tiquer sa mère, qui devinait d'autres intentions derrière cet excès de serviabilité.

— Mouais, on va dire.

— C'est beau, ma tante ! lança Nicolas. Ça me fait plaisir d'y aller avec toi. On pourra faire un détour par la bibliothèque… s'il y en a une ? J'ai presque fini mon roman.

— Dans ce cas, c'est réglé. Et, oui, il y a une bibliothèque, sourit Marie-Ève.

Après les recommandations d'usage à son fils, elle partait en compagnie de son neveu. Aussitôt que la voiture eut disparu, Théo retourna au grenier.

Et, tout de suite, sa main se mit de nouveau à l'élancer. Pire, elle refusait de lui obéir !

Mû par une volonté autre que la sienne, il défit le pansement.

Autour de la blessure, la peau était maintenant bleuâtre. Exactement comme les chairs putréfiées du lapin écorché, sur l'une des toiles du mystérieux K.

Inquiet, il attrapa son cellulaire en ayant l'intention d'appeler sa mère. Sauf qu'il y eut de nouveau ce bruit. Enfin, du bruit. Le même que pendant la nuit.

TOC. TOC. TOC.

Trois coups secs. Aucun doute n'était maintenant possible : cela venait de la porte rouge, qui gisait sur le sol.

Théo fut à peine conscient que ses jambes le portaient jusqu'au tableau.

Étrangement, la porte rouge semblait avoir... gagné en épaisseur.

L'effet était à ce point réaliste que les coups, qui se répétaient inlassablement, furieusement, donnaient l'impression d'être portés par quelqu'un se trouvant à l'intérieur de la toile, derrière la porte.

Quelqu'un qui se mit bientôt à pousser sur le canevas avec ses mains. Puis, sous le regard stupéfié de Théo, la poignée de la porte rouge se mit à tourner !!!

« Quelqu'un » essayait de sortir du tableau.

Hypnotisé par ce qu'il voyait, le garçon tendit sa main blessée vers la boule cuivrée. Aussitôt qu'elle s'y posa, Théo sentit la poignée de la porte rouge se matérialiser dans sa paume. Il perçut les mouvements de la poignée, à droite, à gauche. D'instinct, il tenta de la lâcher.

Impossible.

C'était comme si sa peau avait fusionné avec le métal. Parce que c'était vraiment ce qu'il tenait à présent, une poignée de cuivre. Une poignée de cuivre qui suçait son sang et qui tournait.

Une fois la rotation complétée, la porte rouge se rabattit vers l'intérieur. Théo put alors reprendre le contrôle de sa main.

Il aurait pu, il aurait dû s'enfuir.

Il ne le fit pas.

***

Une immensité ténébreuse, d'un noir quasi liquide, s'étalait à l'intérieur de la toile, de l'autre côté de la porte ouverte. Une masse stagnante qui, au moment où Théo tendit le cou pour l'examiner, fut parcourue d'un spasme.

Instinctivement, Théo recula d'un pas. Un petit pas. Il ne voulait pas perdre le phénomène de vue. C'était trop incroyable.

Le brouillard s'étirait à présent en de longues traînées, tels des doigts longs et fins. L'un d'eux sortit − oui, sortit ! − du tableau et s'enroula autour du garçon.

Ce n'était pas froid, c'était plutôt moite et tiède. Ça pulsait comme si un cœur, quelque part, l'alimentait en… en énergie ? En vie ?

Théo n'avait pas peur. Il était envoûté. Quand l'écharpe de brume l'attira doucement vers le tableau, il ne résista pas. Il suivit le mouvement.

C'est alors qu'il aperçut une silhouette, très loin à l'intérieur de la toile. Si loin que, pour être certain qu'elle n'était pas une illusion, il avança son visage jusqu'à effleurer le tableau, qui n'en était plus un, mais qui était devenu une porte ouverte sur... sur un ailleurs.

Brusquement, la Chose fut là. Tellement proche que le garçon aurait pu sentir le souffle de sa respiration. Si elle avait respiré.

Sauf qu'elle ne respirait pas.

Parce qu'elle n'avait pas de nez.

Pas de bouche.

Pas d'yeux non plus.

Rien.

Son visage semblait avoir été effacé.

Une douleur fulgurante explosa dans la paume de Théo. D'autres filaments brumeux émergèrent du tableau et vinrent se greffer à sa main blessée. Ils aspiraient le sang du garçon. Ils donnaient de la couleur — et de la vie — à la Chose.

Maintenant paralysé de terreur, glacé d'effroi malgré le feu qui lui brûlait les poumons, Théo sentit sa main se fondre dans celle de l'entité, dont le visage se mit à se préciser.

Bientôt, le garçon se retrouva face à lui-même ! Un lui-même malfaisant, aux yeux comme du charbon, au sourire dément.

Autour de lui, le grenier s'effaça. Noir complet. Épais. Liquide.

Une porte, LA porte, claqua.

Aveugle, Théo leva les bras, chercha l'endroit où aurait dû se trouver la cordelette permettant d'allumer. Rien.

Il tendit les bras vers l'avant et se dirigea en direction du mur.

Rien.

Il se mit à aller de droite à gauche, fouillant le vide, frénétiquement.

Rien.

Rien.

Nulle part.

Il comprit alors.

Il avait pris la place de la Chose derrière la porte rouge.

Il était devenu la Chose.

Et la Chose était devenue lui.

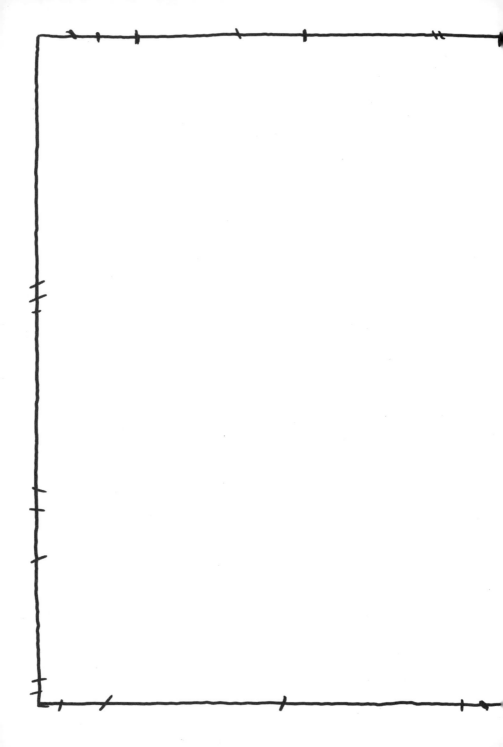

chapitre
7

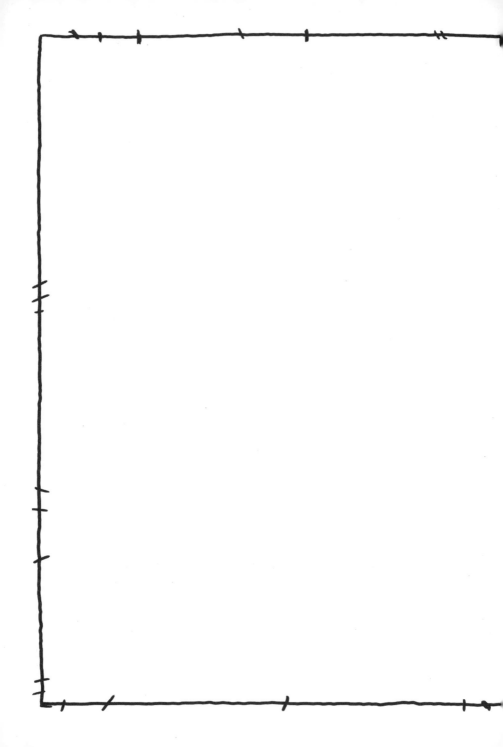

Marie-Ève tendit la main vers le tableau de bord pour répondre. Comme l'appareil était en mode mains libres, Nicolas entendit toute la conversation.

C'était l'éditeur de sa tante. Il lui annonçait qu'un certain Guillaume Lefrançois était intéressé à illustrer son livre. Ça semblait être une excellente nouvelle. Mais avant de donner son accord définitif, l'artiste voulait discuter avec Marie-Ève. Or, il prenait l'avion très tôt le lendemain et ne serait de retour qu'un mois plus tard.

— On peut faire ça par FaceTime? demanda Marie-Ève. Si oui, laissez-moi une petite demi-heure et je suis prête.

Ce fut oui.

— L'Internet de la maison est trop lent pour «facetimer», fit remarquer le garçon une fois la conversation terminée.

– Je sais. Mais celui de la bibliothèque est rapide et fiable, et je t'ai promis que nous passerions par là. Donc…

– Génial !

Sa tante le prévint toutefois de ne pas se faire trop d'illusions : la bibliothèque était à l'image du village. Petite et un peu hors du temps.

– J'espère que tu trouveras quelque chose qui te plaira, conclut-elle.

Il trouva bien plus que cela.

D'abord, il aima l'endroit. Le bâtiment dans lequel ils pénétrèrent, qui servait aussi de mairie et de centre communautaire, semblait très vieux. Ils descendirent un escalier de pierre en spirale pour se rendre au sous-sol, dont la bibliothèque occupait tout l'arrière.

Pendant que Marie-Ève vaquait à ses occupations, Nicolas passa les nouveautés en revue. Elles n'attirèrent que brièvement son attention. Son intérêt se porta plutôt sur la section située dans une enclave. De vieux bouquins s'y empilaient. La poussière qui les recouvrait faisait la preuve qu'ils étaient rarement consultés.

L'un d'entre eux attira particulièrement son attention : *Baie-des-Corbeaux — Magie noire et sorcellerie.*

Il se cala dans un fauteuil pour le consulter.

Le garçon apprit que la bourgade s'appelait à l'origine Crowberry, du nom anglais de la camarine, un gros bleuet noir qui poussait là en abondance. Elle avait été rebaptisée Baie-des-Corbeaux à l'arrivée de colons français.

— Crowberry... Baie-des-Corbeaux... murmura Nicolas. Je comprends !

Ses deux années passées en Alberta l'avaient rendu très à l'aise en anglais. Il savait donc qu'en français, *crow* se traduit par corbeau ; et *berry,* par baie, dans le sens de petit fruit.

Le hameau avait été fondé en 1704 par une dizaine de familles de la Nouvelle-Angleterre à la tête de laquelle se trouvait une femme aux cheveux de feu appelée Alitia.

Condamnés pour sorcellerie, elle et les siens s'étaient enfuis. Ils n'emportèrent rien, si ce n'est le grimoire qui ne quittait jamais la « sorcière ».

Ses ancêtres y colligeaient leur savoir depuis des générations. Un savoir ancien que le Nouveau Monde jugeait maléfique.

Ils prirent donc la route et marchèrent, marchèrent en quête d'une nouvelle terre promise. Ils la trouvèrent au bout de nombreuses semaines, ils s'installèrent et, pendant un temps, la vie fut douce pour eux.

Tout bascula un jour lorsque des pluies abondantes ruinèrent les récoltes, que la maladie décima le bétail et que l'hiver fut particulièrement rude.

Alitia ne parvint ni à soulager les maux des siens ni à faire reculer la mort.

Les habitants de Crowberry pleuraient enfants et vieillards quand un inconnu se présenta à eux. Il s'appelait Lazare Kalt et arrivait d'Europe. Il se disait artiste peintre, et il l'était. Mais il était plus que cela.

Psalmodiant dans une langue inconnue de tous, traçant des symboles au moyen de sang sur les visages des malades ou sur le sol avec des poudres dont lui seul avait le secret, il soigna, guérit, sauva.

Lazare Kalt devint ainsi, naturellement, le nouveau leader des villageois. La rousse Alitia aurait pu prendre ombrage de ce désaveu, mais le charisme de l'homme était tel qu'elle se plaça à ses côtés.

Bientôt, ils s'épousèrent et s'installèrent dans la grande maison que le peintre fit construire pour eux à l'extérieur du village.

La page suivante du livre était occupée par une gravure en noir et blanc. Avec son visage long et osseux, ses sourcils en broussailles, sa tignasse noire, ses traits marqués, l'homme qui y figurait avait une tête à faire peur. Une impression qu'amplifiait le masque représentant une tête de corbeau posé sur ses genoux.

Nicolas se dit que, si le chef du village possédait un charme hors du commun, celui qui avait peint son portrait n'avait pas réussi à le reproduire. Il regarda alors sous l'illustration et lut : « Autoportrait du Grand Corbeau Lazare Kalt. »

Le dessin était signé d'un simple K.

Un K identique à celui qui marquait les tableaux macabres du grenier !

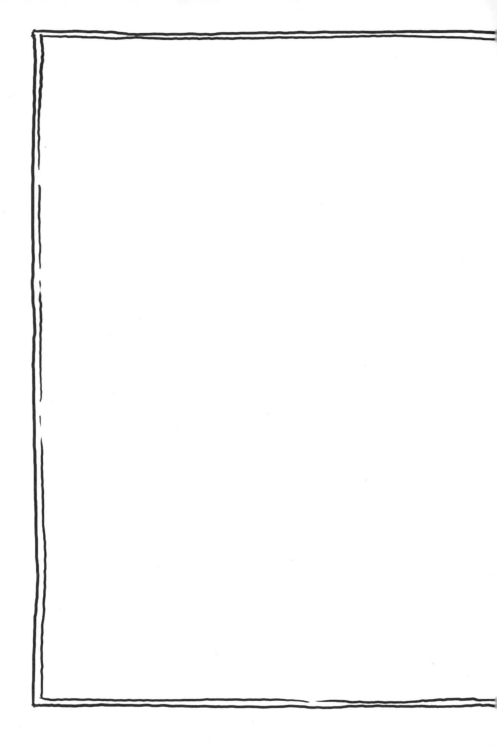

chapitre
8

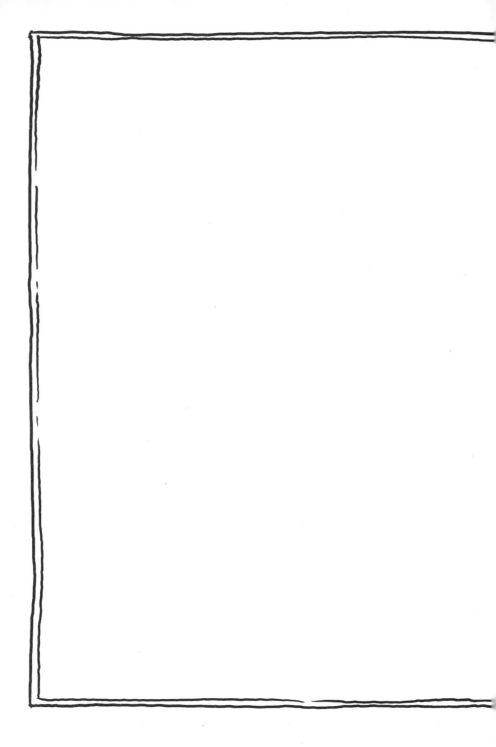

Nicolas poussa un cri. Une main s'était posée sur son épaule.

Il était perdu dans la contemplation du visage de Lazare Kalt. Il repassait dans sa tête les informations qu'il venait de trouver quand Marie-Ève, puisque c'était elle, avait failli lui faire faire une crise cardiaque.

— Désolée ! Je ne voulais pas te faire peur !

Elle souriait malgré elle. Sa rencontre virtuelle avec Guillaume Lefrançois s'était visiblement bien passée.

— Qu'est-ce que tu lis ?

Il lui montra le livre.

— *Baie-des-Corbeaux — Magie noire et sorcellerie,* lut Marie-Ève. Intéressant. Tu me racontes ?

Ils passèrent d'abord au comptoir de prêt afin de s'abonner à la bibliothèque et d'emprunter le livre. Une simple formalité qui se heurta toutefois aux hésitations du bibliothécaire quand Marie-Ève lui donna l'adresse de la maison louée.

— Vous ne partirez pas sans le rapporter ? demanda-t-il sur un ton inquisiteur.

— Bien sûr que non ! Mon neveu lit très vite… et nous sommes là pour tout l'été.

Après avoir émis un petit reniflement qui trahissait ses doutes, le jeune homme s'acquitta de sa tâche.

— Bonne journée, conclut-il en leur remettant le bouquin.

« … et bonne chance », l'entendit murmurer Nicolas.

Pendant qu'ils se rendaient au marché d'alimentation, le garçon résuma à sa tante ce qu'il avait découvert sur le village et sur le mystérieux Lazare Kalt.

— Je ne suis pas encore rendu à la fin de son histoire, mais on dirait qu'il pratiquait la magie et qu'il a fondé une secte, la secte du Grand-Corbeau.

— Ça vient donc de là, Baie-des-Corbeaux ? demanda Marie-Ève.

— Oui et non. Mais peut-être aussi.

— Pas très clair, tout ça !

Nicolas poursuivit alors ses explications et conclut par les toiles du grenier, signées d'un K.

— Je suis sûr que c'était sa maison.

— Possible, elle est assez vieille pour ça, répondit sa tante en stationnant sa voiture près d'un pick-up.

En sortant du véhicule, elle remarqua la fille qui chargeait des sacs dans la camionnette. Elle était très grande, « limite géante », pensa le garçon. Ce qui, toutefois, le frappa était sa tignasse teinte en vert lime.

— Audrey-Anne ? s'étonna Marie-Ève.

— Madame Langlois ? renchérit l'adolescente sur le même ton.

— Tu as déjà terminé le gazon ?

— Bien… je suis allée chez vous, il n'y avait personne. Je me suis demandé si vous étiez arriv…

— Tu n'as pas vu mon fils ? la coupa Marie-Ève.

— N… nooon, répondit Audrey-Anne en montrant Nicolas.

Elle le prenait pour Théo.

— Je suis Nicolas, la corrigea le garçon. Le neveu, pas le fils.

— Un instant, je l'appelle... le fils, fit Marie-Ève.

Ce ne fut pas long.

— Boîte vocale. Quoi de neuf sous le soleil, hein !

Nicolas remarqua l'inquiétude qui traversa le visage d'Audrey-Anne. Le bibliothécaire avait eu semblable réaction en entendant leur adresse.

— Il ne répond pas ? s'enquit-il auprès de sa tante.

— Il ne répond jamais. En temps normal, ça ne m'énerverait pas, mais là, loin de tout...

— Si vous voulez faire vos courses, je peux déposer Nicolas à la maison pour qu'il vérifie si tout va bien, s'empressa de proposer Audrey-Anne. C'est sur ma route.

Marie-Ève se tourna vers son neveu.

— Qu'est-ce que tu en penses, Nicolas ? Je peux m'organiser sans toi. Même si je suis certaine qu'il n'est rien arrivé, j'avoue que ça me rassurerait.

– Pas de problème, j'y vais. Et je lui dis de t'appeler!

Quelques secondes plus tard, il était dans la camionnette. Il lui tardait d'arriver à destination. Et, avant, de presser de questions la fille aux cheveux verts. Elle savait quelque chose, il le sentait.

– Je me trompe ou bien tu n'aimes pas beaucoup la maison qu'on loue? lui demanda-t-il.

– Tu te trompes. Je ne l'aime pas… du tout, ricana l'adolescente.

– Ça a quelque chose à voir avec le sorcier?

– Le sorcier? s'étonna-t-elle.

Elle laissa échapper un léger renâclement avant de poursuivre.

– Tu me surprends, Nic. D'habitude, les gens qui s'installent dans cette baraque sont plus… innocents, disons.

– Oh, je l'étais jusqu'à tantôt! Mais je viens de commencer un livre sur l'histoire du village…

– Je t'arrête tout de suite! Si tu parles de *Baie-des-Corbeaux – Magie noire et sorcellerie,* il faut en prendre et en laisser. Ce bouquin mêle faits et fiction.

— D'accord, il y a sûrement de l'exagération, concéda le garçon. Mais c'est difficile de ne pas voir un lien entre la signature des tableaux du grenier et…

— Tu es allé dans le grenier ? Je pensais qu'il était cadenassé.

Nicolas bredouilla un oui-mais-non pas tellement convaincant.

— Je n'aime pas ça, grommela Audrey-Anne.

— Tu n'y es jamais montée, toi ?

— Oui, il y a longtemps, avec ma mère. Sauf qu'à l'époque, je n'étais pas… prête.

— Pas prête à quoi ?

Perdue dans ses pensées, la fille aux cheveux verts ne répondit pas. Au bout de quelques secondes de silence et de malaise, Nicolas reprit donc la conversation. Il voulait en savoir plus.

— En tous cas, elles sont plutôt lugubres, les toiles de Lazare Kalt.

L'adolescente émit un grognement.

— Lazare, Elias, même affaire.

— Elias ?

– Le descendant de Lazare, laissa-t-elle tomber. Le dernier Kalt, semble-t-il. Il était peintre, lui aussi. Il a vécu dans la maison, lui aussi.

Il l'avait abandonnée un siècle plus tôt, raconta Audrey-Anne. Ceux qui y étaient entrés après son départ avaient découvert que les murs étaient couverts de tableaux plus monstrueux les uns que les autres.

Lorsqu'il fut évident qu'il ne reviendrait pas, et que la propriété fut mise en location par la municipalité qui en avait pris possession, les toiles furent entreposées dans le grenier où se trouvait déjà son matériel d'artiste.

– Ces Kalt étaient de vrais oiseaux de malheur. Mieux vaut ne pas y penser.

Elle ne dit plus un mot jusqu'à ce qu'ils arrivent à destination. Là, elle éteignit le moteur, descendit du véhicule et marcha d'un pas décidé vers la maison. Nicolas s'apprêtait à la suivre quand une masse sombre posée sur le siège arrière attira son attention.

Posé sur un flot de tissu sombre, un masque représentant une tête de corbeau semblait le regarder.

chapitre

9

Nicolas avait pris la route avec Audrey-Anne afin de lui poser des questions. Il en avait encore plus à présent que lorsqu'il s'était assis dans le pick-up.

Et il n'osait formuler celles qui lui montaient aux lèvres maintenant qu'il avait vu un possible lien entre elle et Lazare Kalt.

Il était le Grand Corbeau. Elle possédait un masque semblable à celui qui était illustré dans le livre ! Était-elle... une « grande corneille » ? Pratiquait-elle la magie ? Si oui, qu'est-ce que ça signifiait ?

Bref, Nicolas se trouvait-il en compagnie d'une illuminée ? Ça le troublait. Il était mal à l'aise. Il lui tardait de discuter de tout ça avec son cousin.

— Théo ! appela-t-il en entrant dans la maison.

Pas de réponse.

— Je vais voir en haut.

Le garçon affichait un calme qu'il était loin de ressentir. Il aurait préféré qu'Audrey-Anne reste au rez-de-chaussée. Mais elle le suivit.

Ils trouvèrent Théo dans son lit. Nicolas s'approcha, inquiet. Pour se rendre compte que tout était normal. La respiration de son cousin était régulière. Quand il posa une main sur son front, l'autre se retourna en poussant un long soupir.

— Il dort comme une bûche, murmura Nicolas. Il est tombé endormi tantôt, aussi. Il a peut-être attrapé un virus, un genre de mono. On va le laisser se reposer. Tu viens ?

Mais la fille aux cheveux verts ne broncha pas. Les yeux fixés sur la trappe fermée, elle semblait transformée en statue.

— Audrey-Anne ? ! insista-t-il à mi-voix.

Elle se secoua.

— Oui... Oui, bien sûr.

Elle le suivit en bas, toujours un peu perdue dans ses pensées. Nicolas la raccompagna jusqu'à la porte.

— N'oublie pas d'appeler ta tante pour la rassurer. Et dis-lui que je reviendrai vers dix heures demain pour le gazon. Là, je vais ouvrir la piscine des Maltais.

Nicolas resta sous le porche jusqu'à ce qu'elle disparaisse. Puis, il appela Marie-Ève et s'installa dans le salon pour poursuivre sa lecture. Il espérait en découvrir plus sur les « corbeaux » de Baie-des-Corbeaux.

Il ne fut pas déçu.

Lazare Kalt pratiquait, impunément et sans chercher à s'en cacher, une magie aussi noire que le plumage des corvidés. Il parlait aux morts. Il invoquait les esprits. Il parvenait à faire bouger des objets à distance. Ses prédictions se réalisaient toujours.

Autant de pouvoir séduisait. La secte du Grand-Corbeau gagnait chaque jour plus d'adeptes. Une fois qu'elle fut bien établie, les disciples du maître se mirent, comme lui, à se vêtir de noir.

Bientôt, les voyageurs de passage commencèrent à parler d'eux comme des corbeaux de Crowberry.

Le garçon en conclut que sa tante avait bien vu, le nom Baie-des-Corbeaux faisait référence à la camarine, mais aussi, et peut-être surtout, aux hommes en noir... de l'homme en noir.

Le chapitre se terminait sur une illustration montrant un cercle formé d'individus vêtus d'une toge sombre pourvue d'un capuchon qui camouflait leur visage. Ils entouraient un homme brandissant un livre à bout de bras.

Il portait lui aussi une longue tunique noire. Et sa tête était recouverte d'une tête de corbeau.

Précisément ce que Nicolas avait vu dans le pick-up d'Audrey-Anne.

chapitre
10

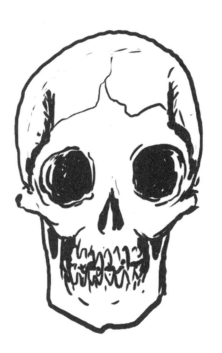

Nicolas répondit aussitôt que le téléphone sonna. C'était Marie-Ève. Elle était embêtée : elle venait de terminer l'épicerie et sa voiture ne démarrait pas.

– Chaque fois qu'il pleut, c'est la même chose, soupira-t-elle. Le garagiste est en route. Je reviens le plus vite possible. Toi, ça va aller ? Théo dort toujours ?

Nicolas lui dit de ne pas s'inquiéter et retourna à sa lecture. Le rapport qu'il ferait à son cousin serait d'autant plus complet.

Le chapitre suivant s'intitulait *L'impossible quête de Kalt.*

Lazare Kalt avait une obsession : l'immortalité. Lui qui communiquait avec les défunts et autres entités vivant au-delà de la vie ne pouvait se résoudre à sa propre mort.

Afin de trouver le secret de la vie éternelle, il conjugua son savoir à celui de son épouse et à ce qu'il découvrit dans le vieux grimoire. Alitia, toujours sous son emprise, le laissa faire.

Peu après les noces, elle tomba enceinte. Un garçon naquit, au regard aussi noir que celui de son géniteur, dont il était le portrait craché.

Pour le Grand Corbeau, c'était un signe. L'enfant était un vaisseau. Il allait trouver le moyen d'y transférer son âme, son savoir, son pouvoir. Il prolongerait ainsi ses jours. Puis, il donnerait naissance à un autre vaisseau. Et ainsi de suite, pour toute l'éternité. L'immortalité était à portée de main.

Il commença donc à se livrer à des expériences sur le nourrisson. Découvrant cela, Alitia comprit la vraie nature de son mari.

Elle eut peur du monstre qu'il était devenu en partie à cause d'elle, puisqu'elle lui avait donné accès aux secrets de sa lignée. Il se les était appropriés, il les avait intégrés aux siens. Il avait consigné le tout dans le grimoire ancestral des sorcières rouges qu'il considérait désormais comme sien.

Une nuit, des hurlements s'échappèrent de la maison. La terre bougea autour de la propriété. Un orage d'une violence jamais vue foudroya les arbres les plus proches.

Lazare Kalt disparut dans ces circonstances. Emportant son fils et le précieux livre.

Folle de douleur, Alitia jura de se venger. Dans cette vie ou dans une autre.

***

– Waow… souffla Nicolas.

C'était peut-être n'importe quoi, comme disait Audrey-Anne, mais c'était une sacrée bonne histoire. Il avait hâte de partager ses découvertes avec Théo. Peut-être s'était-il réveillé et, se croyant seul, était-il retourné dans le grenier ?

Même s'il n'y croyait pas trop, le garçon grimpa à l'étage, son livre sous le bras. Mais en effet, son cousin dormait toujours profondément.

En désespoir de cause, Nicolas se rendit sous les combles. Il lirait ainsi dans un lieu qui reflétait le côté lugubre de l'histoire qu'il découvrait.

« Concept… », pensa-t-il avec amusement.

Il empila quelques coussins, improvisant un fauteuil sous une des fenêtres. Il se laissa tomber dessus. Et c'est grâce à l'angle dans lequel la lumière extérieure pénétrait dans la pièce et tombait sur le plancher qu'il remarqua le motif gravé dans le bois.

C'était si fin, si léger qu'il était facile de ne pas le remarquer. Un grand cercle s'étalait au centre du grenier. Un cercle double.

Non, pas un cercle ! Il y avait un renflement, comme une tête. C'était un serpent qui se mordait la queue !

Nicolas avait déjà lu quelque part que c'était un symbole puissant, associé à la magie. Mais que signifiait-il ? Ça demeurait un mystère. Il aurait le temps de l'éclaircir plus tard.

D'abord, il voulait connaître la conclusion de l'histoire de Lazare Kalt.

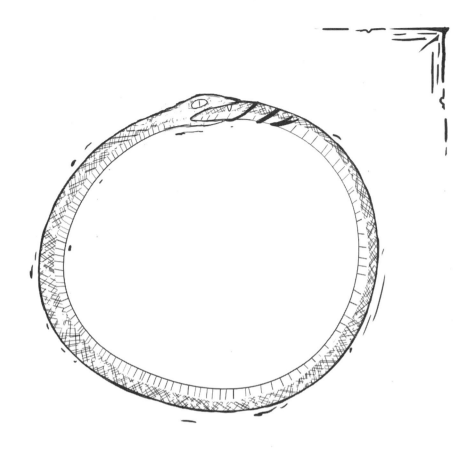

Les rumeurs voulaient que le sorcier soit retourné en Europe. Si c'était vrai, il s'y fit discret. Ses traces dans l'histoire étaient à peu près inexistantes. Même chose pour ses descendants. Car il eut des descendants.

En effet, environ deux siècles après sa disparition, le nom maudit résonna de nouveau à

Baie-des-Corbeaux. En 1912, Elias Kalt s'installa sur la propriété de son ancêtre.

Laissée à l'abandon, la maison nécessitait beaucoup de travaux. Le nouveau venu lança un appel aux villageois.

Les membres de familles arrivées plus récemment au village y répondirent. Le salaire était bon.

Ceux des familles fondatrices de Baie-des-Corbeaux, eux, refusèrent tout rapport avec lui et lui firent sentir combien il n'était pas le bienvenu dans la communauté.

Elias Kalt s'en fichait. Il aimait sa vie de reclus. Il avait l'arrogance des puissants. Il ignorait tout de la malédiction des sorcières rouges pesant contre les descendants de Lazare. Ou il faisait tout comme.

Reste que l'homme, alors d'âge mûr, sembla entrer d'un coup dans la vieillesse. Maladie ou malédiction? Les villageois purent noter, au fil de ses rares allées et venues, que son comportement devenait de plus en plus erratique.

La Première Guerre mondiale venait de se terminer quand il se mit à boiter et à tousser, et ses mains, si précieuses à son travail, à trembler.

L'état de santé du peintre se détériora vite. À l'épicier local qui s'en était inquiété, Kalt déclara : « La résurrection que Lazare convoitait, Elias y parviendra. Je reviendrai. »

L'homme avait répété ces quelques mots à son beau-frère, responsable du feuillet paroissial qui faisait office de journal. Il les avait fait imprimer, ajoutant que ce « je reviendrai » pourrait être la phrase à graver sur la pierre tombale de Kalt.

Sauf qu'il n'y eut jamais de pierre tombale.

Quelque part pendant l'été de 1921, Elias Kalt disparut.

Nicolas referma le livre. Et il s'étouffa presque de surprise. De l'autre côté de la pièce, Théo l'observait avec intensité.

chapitre
11

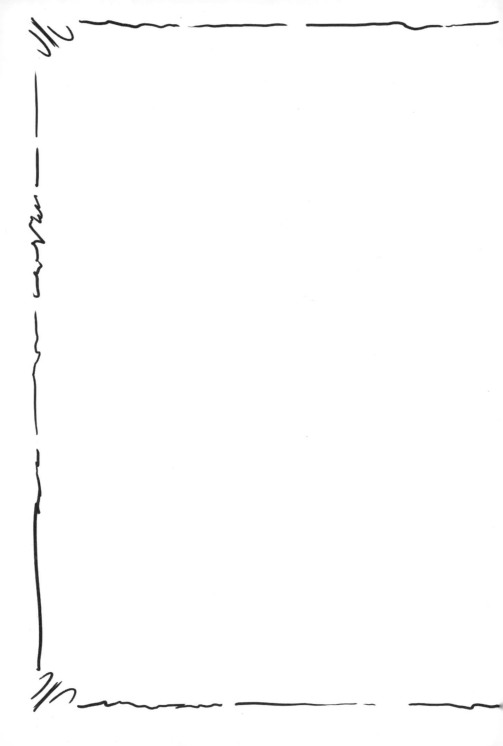

— Théo ?! Ça fait longtemps… que tu… tu es
là ? Je ne t'ai pas entendu arriver ! Tu vas bien ?
bafouilla Nicolas.

— Ça a l'air passionnant, ce que tu lis là, fit
Théo en éludant les questions.

Un peu décontenancé, son cousin lui tendit
le livre.

— Passionnant, le mot est faible ! Tout ce que
j'ai découvert sur le village !

— Étonne-moi, reprit Théo en levant un sourcil
sceptique.

Mais ce serait pour plus tard. Marie-Ève venait
de s'engouffrer dans la maison et les appelait. Ils
descendirent.

Nicolas avait beau l'avoir rassurée au sujet
de Théo, dormir autant, ce n'était pas… normal.

— Poussée de croissance ? suggéra son fils.

— Mouais… Arrive ici.

Elle lui toucha le front pour vérifier à son tour qu'il ne faisait pas de fièvre. Il n'en faisait pas, mais elle ne voulait prendre aucun risque.

— Montre-moi ta main, on ne sait jamais, une infection...

Obéissant, Théo défit le pansement.

— Tu t'es battu avec ou quoi ? s'étonna Marie-Ève. J'avais fait pas mal mieux que ça !

— Oh... J'ai voulu voir en dessous, tantôt. Après, je l'ai refait du mieux que j'ai pu.

Curieux, Nicolas s'approcha. Et, comme sa tante, il écarquilla les yeux de stupéfaction.

— Mais... que... bafouilla Marie-Ève en tournant et retournant la main de son fils.

Nicolas et elle n'en revenaient pas de ce qu'ils voyaient ou, plutôt, ne voyaient plus. La blessure avait complètement disparu !

— On a trop paniqué quand je me suis coupé, moi le premier ! statua Théo. Ce n'était qu'une éraflure, mèr... euh, m'man !

Mère ? Il avait failli appeler sa mère... « mère » ? Nicolas trouva cela particulier. En même temps, il n'avait pas côtoyé sa tante et son cousin depuis deux ans, peut-être que cela leur arrivait parfois de se parler ainsi.

D'ailleurs, la principale concernée n'avait pas noté la chose. En fait, elle était encore à contempler la main de son fils.

— Ça te dérangerait de me la rendre, maintenant ? plaisanta Théo. Je me sens en pleine forme. Je t'assure. Toutes ces heures de sommeil m'ont fait du bien. On dirait que j'en avais besoin.

— Si tu le dis, fit Marie-Ève sur un ton dubitatif.

Elle prit le temps d'observer son fils de la tête aux pieds. Et, enfin, elle sourit.

— Ton histoire de poussée de croissance, ce n'est pas bête. On dirait que tu as pris un coup de vieux.

— Pourtant, il y a longtemps que je ne me suis pas senti aussi jeune ! pouffa Théo avec un petit rire aigre.

Puis, il se tourna vers son cousin.

— On monte ?

Nicolas le suivit. Les garçons n'avaient toutefois grimpé que quelques marches que Marie-Ève rappela son fils.

— Tu oublies ça ! dit-elle en lui tendant l'inhalateur.

Son fils considéra la pompe d'un air soupçonneux, comme s'il ne savait pas trop ce que c'était. Puis, il sourit et alla la prendre.

— Tu es sûr que ça va ? lui demanda Nicolas une fois dans le grenier. Tu as l'air... je ne sais pas, perdu ?

Théo fit une moue que Nicolas ne lui avait encore jamais vue.

— On va dire que je ne suis pas complètement réveillé, lui répondit-il un peu sèchement. Ça te va, cette explication ?

Nicolas secoua la tête. Il imaginait des choses, probablement à cause de ce qu'il avait lu dans le livre sur Baie-des-Corbeaux. Il le montra à son cousin et lui résuma ce qu'il avait trouvé.

— Fascinant. Presque tout est là... apprécia Théo.

Quel commentaire bizarre et « pas rapport » !

— Qu'est-ce que tu veux dire ?

— Eh bien… Presque tout est là pour… pour faire une bonne histoire d'horreur ! Qu'est-ce que j'aurais pu vouloir dire d'autre ?

Logique. Simple.

— Et tu as trouvé autre chose ? ajouta Théo.

— Oh oui ! Mais pas dans le livre.

Nicolas relata alors ce qu'il avait vu dans le pick-up de la fille aux cheveux verts.

La toge. La tête de corbeau.

— On essaie de percer ce mystère ? De voir si elle est folle ou…

Il pouffa avant de continuer.

— … si elle est le nouveau Grand Corbeau de Baie-des-Corbeaux ?

Mais son cousin ne trouva rien de drôle là.

— Je n'aime pas ça du tout, laissa-t-il tomber d'une voix sourde. Ça ne tourne pas rond chez cette fille. Tiens-toi loin d'elle.

Quelque chose dans ces mots mit Nicolas profondément mal à l'aise. Théo était différent. Comment ? Pourquoi ?

Il ne parvenait pas à mettre le doigt dessus.

chapitre
12

Plus tard, pendant le repas, Marie-Ève nota également une différence dans le comportement de son fils. Elle n'en vit toutefois que le bon côté.

Par exemple, Théo qui, habituellement, se faisait tirer l'oreille pour manger de la viande, avait insisté pour qu'elle lui donne la tranche la plus saignante du rôti qu'elle venait de découper.

– Être ouvert à la nouveauté : ça s'appelle évoluer, avait-il expliqué quand elle s'était étonnée de ce soudain penchant carnivore. D'ailleurs, je suis aussi en train de succomber aux charmes de cette vieille demeure et de la campagne…

Et il suggéra carrément à sa mère d'acheter la maison et de s'y installer ! Nicolas faillit s'étouffer en entendant ce délire. Heureusement, Marie-Ève semblait avoir encore toute sa tête.

– Passons d'abord l'été. On verra après, fit-elle.

Le reste de la soirée se déroula devant la télévision, où le «nouveau» Théo y alla d'une proposition surprenante. Au lieu d'opter pour le classique d'horreur diffusé sur une chaîne, il suggéra de regarder le documentaire *Les grands moments du XXe siècle,* programmé sur l'autre.

L'idée plut beaucoup à Marie-Ève, d'autant qu'elle venait de son fils.

Satisfait, Théo se cala dans un fauteuil et s'absorba dans deux heures de faits historiques, de courants sociaux et de mouvements politiques.

Une demi-heure avant la fin, Nicolas baissa les bras et, après avoir salué sa tante et son cousin, il grimpa à l'étage avec l'intention d'aller jouer une petite partie de Nintendo avant de se coucher. Il poussa donc la porte de la chambre de Théo et…

Surprise. L'escabeau était appuyé contre le mur. Et la trappe était fermée. Avec le cadenas !

L'accès au grenier lui était interdit !

Irrité, il retourna dans sa chambre et termina la lecture de *Baie-des-Corbeaux – Magie noire et sorcellerie.* La dernière section n'était pas particulièrement passionnante. La maison avait failli être vendue à quelques reprises, les locataires s'y étaient succédé.

Du coup, fatigué par sa mauvaise nuit de la veille, le garçon s'endormit pendant sa lecture.

Il se réveilla en entendant des pas au-dessus de sa tête. Son cousin se déplaçait dans le grenier. Toujours au son, Nicolas devina qu'il refermait la trappe et descendait.

Curieux, il entrouvrit sa porte et observa discrètement. Il vit Théo se glisser dans le couloir puis descendre l'escalier. Il transportait la toile représentant la porte rouge.

C'était franchement bizarre. Et ça allait le devenir encore plus.

Dès que le bruit caractéristique de la porte arrière se fit entendre, Nicolas alla se poster à la fenêtre de chambre de son cousin. À la lueur de la lune, il aperçut Théo qui marchait vers la remise à outils.

Quelques minutes plus tard, il ressortait du cabanon les mains vides.

« Qu'est-ce qu'il a fait de la toile ? » se demanda Nicolas.

De retour dans sa chambre, il attendit que son cousin rentre. Et, au moment où il distingua de nouveau du bruit provenant des combles, il décida d'aller l'y rejoindre. Peut-être obtiendrait-il des réponses à ses questions?

Quand Nicolas passa sa tête par la trappe, Théo lui faisait dos. Il était assis sur le plancher, entouré du matériel ayant appartenu à Elias Kalt.

Il y avait quelque chose de discordant dans cette image : Théo disposant devant lui des fioles translucides, des petits pots de couleur, des pinceaux de toutes les grosseurs, des spatules menues, etc.

Quant à la porte rouge, elle avait bel et bien disparu.

– Qu'est-ce que tu fais là ? demanda Nicolas. Tu as décidé de peindre ?

Théo ne réagit pas. Il ne se retourna même pas.

– Pourquoi pas ? Il y a tout ce qu'il faut, laissa-t-il tomber au bout de quelques secondes.

– Tu es sérieux ?

Théo ne prit pas la peine de répondre. Nicolas resta là, immobile, à l'observer. Il était incapable de détacher son regard du spectacle de son cousin qui assouplissait les poils des pinceaux en les écrasant doucement dans sa paume d'un mouvement circulaire lent et sûr.

À croire qu'il avait fait ça toute sa vie.

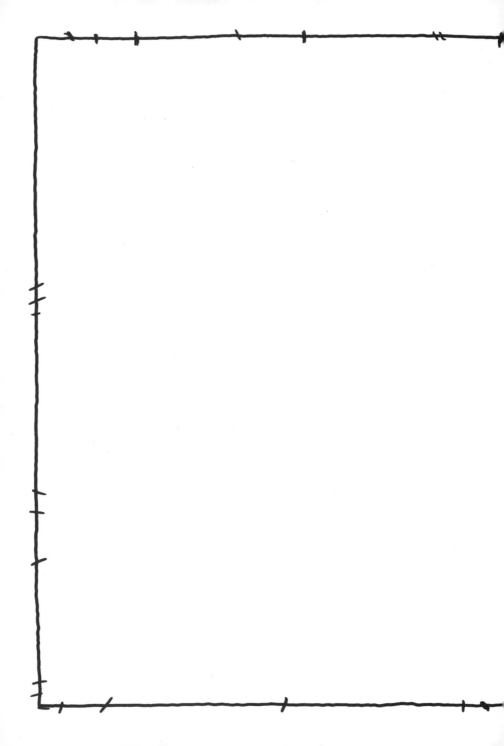

chapitre
13

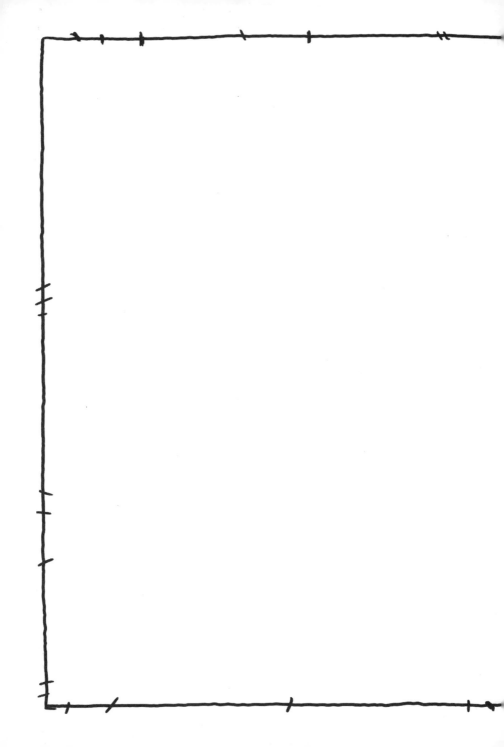

Nicolas dormit mal, très mal, cette nuit-là. Dès qu'il commençait à s'assoupir, il se réveillait en sursaut, en proie à un malaise.

Quand l'alarme se fit entendre, à l'aube, il fut tenté de rester au lit. Mais il repoussa cette idée en même temps que ses draps. Si Théo ne voulait rien lui dire, il trouverait lui-même des explications au comportement étrange de son cousin.

Il enfila donc ses vêtements et descendit en catimini. Peu après, il poussait la porte de la remise à outils.

L'intérieur du cabanon était sombre. Le garçon utilisa la lampe de son téléphone pour s'éclairer.

La toile n'était nulle part. Théo l'avait donc cachée.

Nicolas regarda dans les boîtes empilées ici et là, puis derrière le gros baril. Rien. Il souleva la brouette renversée pour vérifier si le tableau n'était pas dessous. Toujours rien.

C'est en contournant le tracteur à gazon qu'il remarqua le vieux plaid sur le sol. Il le repoussa. La couverture recouvrait une trappe ! Le cœur battant, il souleva celle-ci.

La toile était bien là !

Il s'en saisit, l'appuya contre un mur et l'éclaira. La porte était à présent d'un rouge non plus délavé, mais vif et luisant.

Intrigué, Nicolas passa une main dessus…
ce qui sembla déclencher un grattement.

Il crut d'abord avoir imaginé la chose et
tendit l'oreille. Le bruit continuait à se faire entendre, insistant. Il provenait de derrière la porte
peinte!

– Qu'est-ce que c'est que ça?

Il examina la poignée cuivrée, qui avait
l'air d'avoir gagné en relief. Puis, il inspecta la
serrure. Nicolas l'avait à peine remarquée aupa-
ravant, car ce n'était qu'une vague tache noire.
En son centre, le trou pour insérer une clé semblait creusé vers l'intérieur du tableau.

Le garçon s'approcha pour regarder à travers.

Rien. Du noir. Que du noir.

Sûr qu'il avait été victime d'une illusion d'op-
tique causée par l'éclairage, il allait se reculer…

… quand…

… un œil! Un œil agrandi par la terreur vint
se placer de l'autre côté du trou de la serrure!!
Un œil de ce vert doré unique à Théo et à Marie-
Ève!

– Th… Théo?

L'œil dans le trou de serrure cligna ! Et le grattement se mua en un déchaînement de coups !

Nicolas recula si brusquement qu'il trébucha sur la brouette et se retrouva sur le sol.

Il rêvait. Ce ne pouvait être que ça.

Pourtant.

Maintenant, il pouvait même voir l'empreinte de deux mains qui poussaient sur la toile. Là, sous ses yeux. Et non, il ne rêvait pas. Son postérieur douloureux lui criait qu'il était bien réveillé.

Le garçon se releva et, de nouveau, colla son œil au trou de la serrure.

— Théo, si c'est toi… euh… cogne deux fois.

Boum. Boum.

Impossible. Ce qui se passait là était impossible.

Ça se passait tout de même.

Nicolas tenta de raisonner de manière logique, malgré l'invraisemblance de la situation.

— Théo, souffla-t-il. Écoute-moi. Kalt, l'homme qui a peint ce tableau… c'était un genre de sorcier. Il… C'est fou, mais… mais je pense qu'il t'a enfermé ici et a pris ta place.

Il se tut. Une larme, une seule, se forma au coin de l'œil de son cousin. Nicolas sentit sa gorge se serrer. Et sa colère monter.

– Je vais te sortir de là. Fais-moi confiance. Là, je dois te laisser pour…

La panique se lut dans l'œil de Théo. Les grattements reprirent, comme autant de supplications.

Nicolas secoua la tête. Il n'avait pas le choix d'y aller.

L'œil se ferma. Vaincu.

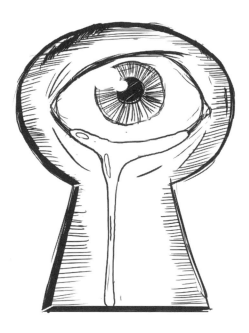

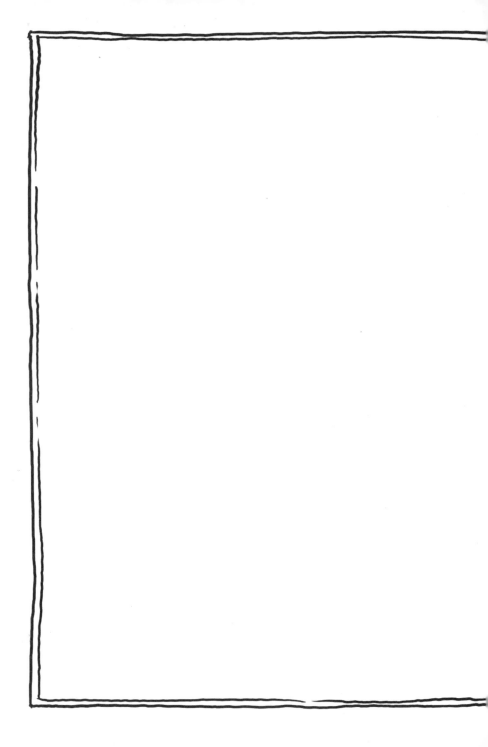

chapitre
14

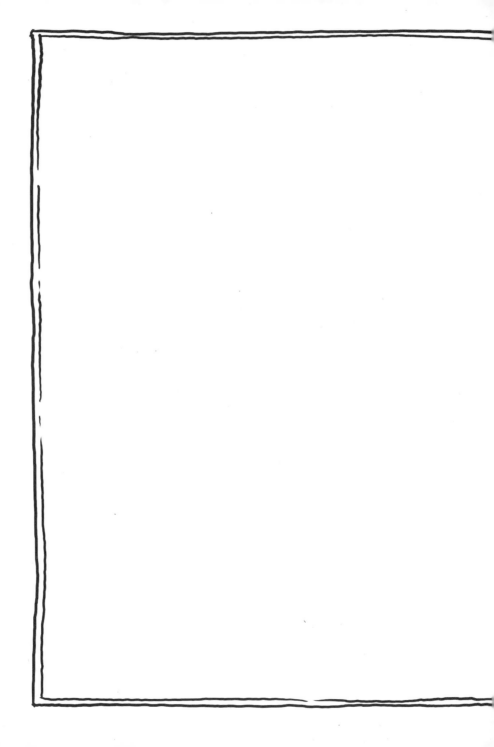

— Tu arrives d'où, comme ça?

La voix de Théo-Kalt s'éleva dans le dos de Nicolas tandis qu'il poussait la porte de sa chambre. Le garçon se raidit, mais pas question qu'il montre sa peur au sorcier qui, fort probablement, habitait le corps de son cousin. Il colla un sourire sur son visage et se retourna vers l'Autre.

— Je me suis réveillé à l'aube et, du coup, je suis allé faire un tour sur le chemin en attendant que ta mère et toi vous leviez.

— On est levés. Ma mère est même déjà au travail.

— Et toi, tu fais quoi?

— Je m'occupe, soupira l'Autre. Et j'y retourne.

— Là-haut? Tu vas encore peindre? Je peux monter avec toi?

Théo-Kalt leva les yeux, exaspéré.

– Oui, je vais peindre, et non, tu ne peux pas monter. Mettons les choses au clair : le grenier fait partie de ma chambre, et ma chambre, c'est privé.

Là-dessus, il claqua sa porte au nez de son cousin.

Pris au dépourvu, Nicolas n'insista pas. En fait, il était complètement désemparé et ne savait vers qui se tourner. Il ne pouvait pas aller voir sa tante. Si par miracle elle parvenait à le croire, Marie-Ève ne saurait pas plus que lui comment sauver Théo et se débarrasser de Kalt.

Qui pouvait avaler l'histoire invraisemblable qu'il était en train de vivre ? !

La réponse s'imposa soudain.

Audrey-Anne !

Bien sûr, c'était risqué. Si elle pratiquait la sorcellerie, qui dit qu'elle n'allait pas s'en prendre à lui ? Après tout, Lazare Kalt avait été le Grand Corbeau, et la fille aux cheveux verts semblait remplir ce rôle aujourd'hui, être… la Grande Corneille.

En même temps, elle ne portait pas les Kalt dans son cœur et Théo-Kalt se méfiait d'elle. C'était un bon point.

Elle le croirait fort probablement s'il disait que, selon lui, Elias Kalt avait trouvé le moyen de se réincarner et qu'il se trouvait dans le corps de Théo. Ou quelque chose comme ça. Après tout, le sorcier avait dit : «La résurrection que Lazare convoitait, Elias y parviendra. Je reviendrai.»

Nicolas regarda l'heure. Bientôt dix heures. Audrey-Anne ne tarderait pas à venir tondre le gazon. Il décida d'aller à sa rencontre. Pas question de risquer que l'Autre soit témoin de leur échange.

Il se trouvait à mi-chemin entre la maison et la route quand le pick-up apparut. Il fit de grands signes à l'attention de la conductrice.

Elle arrêta son véhicule, baissa la vitre et sortit la tête.

– Heille, Nic, je viens juste tondre le gazon. Pas la peine de me faire la fête comme ça! plaisanta-t-elle.

Elle remarqua alors la gravité du visage du garçon.

– Il s'est passé quelque chose ?

Puis elle soupira et tourna la tête en direction de la maison.

– Maudite baraque… maugréa-t-elle.

Nicolas hésitait encore. Jusqu'à ce que la fille aux cheveux verts ajoute :

– Rappelle-toi que je suis née ici, à Baie-des-Corbeaux. Tu peux tout me dire. Je doute que tu puisses me surprendre.

chapitre
15

Nicolas se lança donc, même si ce qu'il s'apprêtait à révéler était digne d'un esprit malade bon pour l'asile. Il raconta à Audrey-Anne la porte rouge, une partie de Théo – son âme? – emprisonnée «dans» la toile et celle de quelqu'un d'autre, Kalt probablement, se trouvant maintenant dans le corps de son cousin.

— Je le sais bien que ça a l'air dément, mais…

— Mais rien, le coupa l'adolescente. Je te crois.

Le garçon eut l'impression qu'on venait de lui enlever le poids du monde des épaules. Enfin, la moitié du poids du monde.

— Je vais stationner le pick-up ici et on va aller voir le tableau. Je peux peut-être faire quelque chose.

Le regard de Nicolas se porta involontairement sur l'arrière de la camionnette. Là où il avait aperçu la tête de corbeau. Puis, il plongea:

— Tu… tu es un… un Grand Corbeau, comme dans le temps du premier Kalt ?

Audrey-Anne émit un petit rire grêle.

— Il me semblait aussi que tu avais vu ma tenue, hier. Eh bien, je ne vais pas entrer dans les détails, Nic, mais disons que je possède certaines connaissances et des pouvoirs qui pourraient aider Théo et nuire à Kalt. On y va ?

Ce n'était pas vraiment une question. Ils y allèrent. En usant de la plus grande discrétion, ils entrèrent dans la remise à outils. Et, bientôt, la fille aux cheveux verts vit la porte rouge.

— Incroyable, murmura-t-elle en la caressant de la main. Je peux sentir combien elle est… chargée de magie.

Son regard se fit vague.

— De magie très, très noire.

— Mais tu peux faire quelque chose, hein ? demanda Nicolas.

— On va voir.

Elle posa son doigt sur la toile et le déplaça, dessinant un symbole invisible sur la porte rouge.

Puis, elle se mit à parler à voix très basse dans une langue inconnue. Quand elle se tut, elle frappa le tableau du plat de la main. Et le symbole se mit à briller !

Les yeux écarquillés, Nicolas émit un petit cri. Mais Audrey-Anne ne sembla pas l'entendre.

Elle fixait la toile, dont la surface se gondolait. Elle posa la main dessus tout en reprenant son incantation à voix basse.

Soudain…

Soudain une forme noire sortit du tableau. Une main !

La fille aux cheveux verts s'en empara, tira…

CLAC !

La lumière disparut. La main fut happée derrière la porte rouge. Et une force invisible repoussa violemment Audrey-Anne.

– Que… Qu'est-ce que… bafouilla Nicolas. Théo n'est… n'est pas…

– Théo est toujours là, le rassura l'adolescente en se redressant avec peine. C'est un genre de bonne nouvelle.

Et elle expliqua.

Le fait que Théo soit encore « là » signifiait que le transfert de l'âme de Kalt dans le corps de Théo n'était pas terminé. Mais le garçon faiblissait.

— Et la bonne nouvelle, là-dedans ? demanda Nicolas.

— La bonne nouvelle, c'est que Kalt n'est pas encore en possession de tous ses pouvoirs. Il a caché la toile parce qu'il craignait sûrement que tu remarques quelque chose avant que le transfert soit terminé. Quand tu lui as parlé de moi, il a dû s'inquiéter encore plus. Il se doute de... de qui... je... suis.

La voix de la fille aux cheveux verts était à peine plus forte qu'un souffle. Nicolas remarqua alors combien Audrey-Anne était blême. Ses mains tremblaient.

— Ça ne va pas ? demanda-t-il.

Elle désigna le tableau.

— Sa magie est... Elle est tellement mauvaise...

Elle respira péniblement.

— Je dois rep... reprendre des forces, Nic. Et je vais avoir besoin de toi. Bientôt. Le temps est compté.

Car une fois le transfert terminé, Kalt serait insensible au pouvoir d'Audrey-Anne. Et Théo n'existerait tout simplement plus.

chapitre
16

– Qu'est-ce qu'on fait, alors ? fit Nicolas.

Après avoir remis la toile à sa place, Audrey-Anne et lui étaient retournés au pick-up. Le garçon avait dû soutenir l'adolescente pour qu'elle ne tombe pas.

– Je vais te laisser quelques heures. Pendant ce temps, écoute…

De peine et de misère, elle expliqua et raconta.

Pendant près d'un siècle, tout le monde avait cru qu'Elias Kalt était retourné en Europe. Mais ce dont ils étaient témoins aujourd'hui prouvait qu'ils s'étaient tous trompés. Le sorcier n'avait jamais quitté le continent, ni même sa maison.

Il avait enchanté une toile pour y préserver son âme. Et là, dans le noir, il avait attendu que quelqu'un « ouvre » la porte rouge et prenne sa place. Pendant que lui se projetterait dans un nouveau corps.

— Celui de Théo, murmura Nicolas. Le sang…

— Quel sang ?

— Théo s'est coupé, son sang est tombé sur le tableau.

— Et le transfert a débuté. Comment as-tu pensé à ça ? Tu es toi-même un peu sorcier ou tu es amateur de films d'horreur ? eut la force de plaisanter la fille aux cheveux verts.

— Devine.

Audrey-Anne sourit et lui expliqua qu'il fallait absolument découvrir où était le corps de Kalt. Détruire ce qu'il restait de lui, c'était le détruire à jamais.

— Pour cela, je vais avoir besoin du grimoire. Sans le livre des sorcières rouges, je ne serai pas en mesure de le vaincre. Il ne s'en séparait jamais, tu le trouveras près de lui, j'en mettrais ma main au feu.

— Et je commence où ? La maison est grande.

— Tu commences par le grenier, puisque c'est là qu'il travaillait et que la porte rouge était accrochée.

En entendant cela, Nicolas repensa au symbole qu'il avait vu sous les combles.

Un serpent qui se mord la queue.

– Un ouroboros ?! s'exclama l'adolescente. Tu es sûr ? Je... je l'ignorais !

– Il est à peine visible. C'est important ?

– Essentiel. Nic, l'ouroboros est un symbole d'éternité, de résurrection !

Éternité. Résurrection.

– L'obsession des Kalt, murmura Nicolas.

– L'obsession des Kalt, répéta Audrey-Anne. Il n'y a plus de doute. Elias Kalt a ensorcelé sa toile au centre de son ouroboros. Il s'est caché à proximité. Nous allons le retrouver et refermer la porte sur lui. À jamais.

– Seulement après en avoir fait sortir Théo, hein ?

– Ne t'inquiète pas. Ton cousin est la priorité.

Nicolas aurait aimé se sentir rassuré par ces mots. Mais l'adolescente paraissait si faible. Seule la mention du grimoire avait semblé lui redonner des forces. Ça n'avait pas duré.

— OK, je vais les trouver, Kalt et le livre. Et toi, fais… je ne sais pas, fais ce que tu dois faire.

La fille aux cheveux verts se mit péniblement au volant de son pick-up. Elle démarra. Et, avant de partir, elle fit une dernière mise en garde.

— Surtout, tu t'arranges pour que Kalt ne se doute pas que tu le soupçonnes. Fais comme si tout était normal. Il peut être TRÈS dangereux.

La gorge du garçon était si serrée par la peur qu'aucun son n'en sortit. Il acquiesça de la tête.

***

Quelques minutes plus tard, Nicolas était de retour à la maison. Marie-Ève se servait un café dans la cuisine.

— As-tu aperçu Audrey-Anne ? demanda-t-elle. Elle devait passer ce matin pour le gazon.

— Oui, justement ! Je prenais l'air et je l'ai vue sur la route. Elle fait dire qu'elle est désolée, mais qu'elle ne pouvait pas venir aujourd'hui. Elle va t'appeler. Tu verras avec elle.

Pas trop agacée par le contretemps, Marie-Ève retourna dans son bureau, une tasse fumante à la main.

Nicolas, lui, prit la direction de l'étage. Il grimpa l'escabeau et passa la tête par la trappe, espérant que Théo-Kalt ne s'y trouverait pas.

Mais il était là, debout devant le chevalet qu'il avait déplacé au centre de la pièce. Au centre de l'ouroboros. Nicolas sentit un long frisson glacé courir le long de sa colonne vertébrale lorsqu'il vit ce que l'Autre peignait.

Un garçon se tenait au milieu de ce qui semblait être un cauchemar. Il avait les mains plaquées de chaque côté de la tête, les yeux agrandis par l'horreur, la bouche ouverte sur un cri silencieux. Nicolas avait déjà vu une image semblable dans un livre d'art.

Sauf que là, le personnage central avait sa tête à lui.

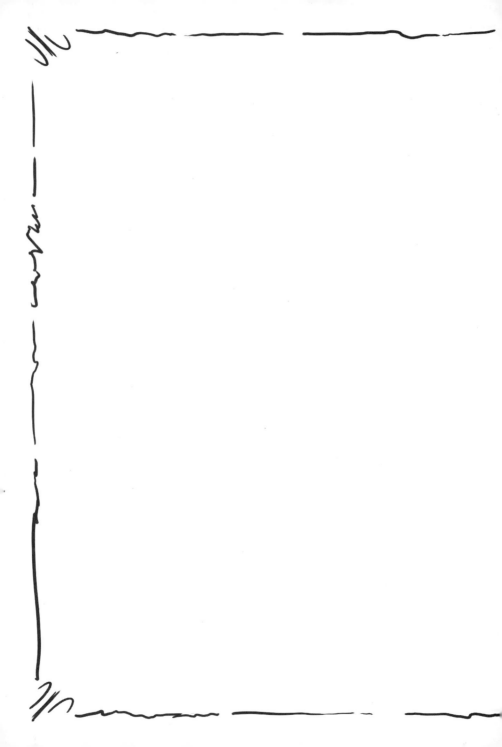

chapitre
17

— Charmant… murmura-t-il.

— N'est-ce pas ! fit l'Autre, rêveur, en contemplant son œuvre. Je voulais voir si je n'avais pas perdu la main.

— Hein ? !

Théo-Kalt se secoua et émit un petit rire.

— Je plaisante ! Je m'amuse à imiter le style de… comment tu l'as appelé, déjà ? Kalt ? Oui, Kalt ! Et, tant qu'à y être, je voulais te faire une surprise en faisant ton portrait façon « kaltienne ». C'est pour ça que je ne voulais pas de toi ici.

« Bien joué », pensa Nicolas.

— Qu'en penses-tu ? poursuivit l'Autre. C'est réussi ?

Nicolas grimaça. Théo-Kalt éclata d'un rire métallique.

— Je prends ça pour un oui ! Bon, tu me laisses continuer ?

L'Autre supportait à peine la présence de son «cousin». Mieux valait ne pas s'attarder. Nicolas trouverait le moyen de fouiller le grenier plus tard.

Il descendit donc, hanté par son propre visage déformé par la terreur, une image qu'il n'arrivait pas à s'enlever de l'esprit. Tellement que, pendant le lunch, Marie-Ève sentit que quelque chose n'allait pas.

— Vous vous êtes disputés ou quoi ?

— Non, pas du tout ! la rassura Théo-Kalt.

— On a un peu de misère à sortir de ce qu'on a découvert sur l'histoire de Baie-des-Corbeaux, ajouta Nicolas.

— Mouais, on va dire ! reprit Marie-Ève sur un ton dubitatif. Et si vous essayiez de passer à quelque chose de plus joyeux ? Il fait beau, allez donc vous promener.

Théo-Kalt sembla peser l'idée dans sa tête. Son regard plein d'ombre détaillait Nicolas. Puis, un mince sourire étira ses lèvres et il annonça que ce n'était vraiment pas bête.

Il monta à sa chambre pour prendre ses lunettes de soleil. Nicolas le suivit. Il n'avait pas l'intention d'accompagner l'Autre. Il voulait faire des recherches dans le grenier.

– Tu viens avec moi ? lui demanda Théo-Kalt tandis que Nicolas faisait semblant de s'affairer dans sa chambre.

– Ah… Euh… Non. J'ai fait un tour tantôt. C'est correct pour toi d'y aller seul, cette fois ?

L'Autre fit de nouveau cette moue étrange. Il haussa les épaules.

– Comme tu veux.

Là-dessus, il descendit. Il annonça à Marie-Ève que, finalement, il sortirait seul. Il parlait sur un ton geignard. Nicolas n'en fit pas de cas : il traversa le couloir et se précipita dans l'autre chambre.

Là, il vit la trappe. Fermée. Avec un cadenas à combinaison !

– C'est pas vrai… commença-t-il.

– Oh oui, c'est vrai ! s'imposa Marie-Ève en surgissant près de lui et en « s'appropriant » la conversation. Tu vas aller prendre l'air, jeune homme. Premièrement, ça va te faire du bien. Deuxièmement, j'aime mieux que vous soyez deux pour aller dans les bois.

Il n'y avait pas de place pour la négociation. Nicolas se lança donc à la poursuite de l'Autre, avec l'intention de l'observer de loin. Peut-être recueillerait-il là une information.

Théo-Kalt avançait lentement, en sifflotant. Mais plus Nicolas s'approchait, plus l'Autre accélérait. Ces bois lui étaient familiers. Il les avait autrefois fréquentés, quand il était Elias Kalt. Même si des arbres avaient poussé et que d'autres étaient tombés, il connaissait la topographie générale de la propriété.

Nicolas le suivait de peine et de misère. Jusqu'à ce que son œil capte quelque chose dans une autre direction.

Il ne put résister à la tentation d'aller voir.

Portant une toge noire et la tête de corbeau de laquelle s'était échappée une mèche verte, Audrey-Anne était lovée entre les racines d'un immense vieux chêne.

Des têtes de corbeau étaient gravées sur le tronc noueux. Et des centaines de « poupées » pendaient des branches de l'arbre. Chacune était fabriquée au moyen de cinq bâtonnets

ficelés les uns aux autres de manière à ressembler grossièrement à un corps humain.

Nicolas avait déjà vu de telles amulettes. Dans des films d'horreur qui finissaient mal.

chapitre
18

L'image était lugubre et, s'il n'avait pas su ce qu'il savait maintenant, Nicolas aurait pensé qu'elle était de mauvais augure. Sauf qu'il avait vu la magie d'Audrey-Anne, puis la faiblesse de l'adolescente et son besoin de « reprendre des forces ».

C'était sûrement ainsi que les sorcières rechargeaient leurs batteries.

Lugubre, donc. Mais nécessaire.

« Bon, assez perdu de temps... Où est Théo-Kalt ? »

Le garçon revint sur ses pas et tendit l'oreille afin de repérer l'Autre. Ce dernier sifflotait toujours. Comme s'il voulait s'assurer que Nicolas ne perdait pas sa trace.

La suite des événements prouva que c'était le cas.

Nicolas déboucha bientôt dans une petite trouée flanquée de chênes massifs et de sapins imposants.

Des centaines, voire des milliers d'aiguilles jonchaient le sol et formaient une sorte de tapis hérissé. En raison de la hauteur des arbres tout autour, il y faisait relativement sombre.

Nicolas aperçut la silhouette de Théo-Kalt de l'autre côté de la clairière. Il accéléra alors et... le sol se déroba sous ses pieds.

Puis... PLOUF!

Le garçon mit quelques secondes à comprendre qu'il s'enfonçait dans une eau poisseuse. Instinctivement, il ferma les yeux, la bouche. Il se propulsa vers le haut avec les jambes et les bras.

Il refit presque aussitôt surface.

— À l'aide! cria-t-il en essayant de rester calme, même si ses pieds, occupés à faire des moulinets, ne touchaient pas le fond.

Y avait-il seulement un fond?

— Au secours!!!!

Pédalant afin de garder sa tête hors de l'eau, Nicolas écarta les bras pour trouver quelque chose à quoi s'accrocher. Bientôt, il sentit de la mousse et, dessous, de la pierre. Par endroits, de grosses racines avaient réussi à pousser entre les cailloux.

Il comprit qu'il était tombé dans un puits abandonné. Et qu'il ne pourrait jamais sortir de là tout seul.

– Au secours ! hurla-t-il de nouveau, en proie à la panique.

Toujours rien.

Toujours personne.

Soudain, un bruit de branches cassées, des pas. Et une silhouette se découpa au-dessus du puits, à contre-jour.

– Nic!?

Audrey-Anne!

– Oui! Ici! cria-t-il. Aide-moi!

– Ne bouge pas! fit l'adolescente avant de disparaître.

Elle plaisantait, là!? Où voulait-elle qu'il aille?

Au bout d'une minute qui parut en durer trente, elle était de retour.

– Je fais descendre une corde. Tu vas passer le nœud de lasso sous tes aisselles.

Elle parlait avec l'assurance de quelqu'un qui sait. Nicolas suivit ses directives.

– Ça y est! lança-t-il bientôt, essoufflé par l'effort qu'il venait de fournir.

– Bien! Il va falloir que tu m'aides. Je ne peux pas te tirer comme un poids mort, mais je peux te soutenir pendant que tu grimpes à la paroi. Tu es capable de faire ça?

Le garçon examina les murs du puits. Les pierres étaient mal jointées, il y avait des prises

assez grosses pour lui permettre de poser ses
pieds et de s'agripper avec ses mains. En plus,
il avait fait de l'escalade de rocher quand il vivait
en Alberta. Ça l'aiderait.

    – Oui, je peux y arriver. On… on y va ?

    – On y va !

Ce fut plus difficile et beaucoup plus long que Nicolas ne l'avait imaginé. La mousse rendait les pierres glissantes. Certaines s'étaient délogées pendant son ascension et le garçon avait perdu pied à quelques reprises. Même qu'il s'était cogné l'arrière du crâne, assez pour voir des étoiles.

Mais la fille aux cheveux verts ne le laissa pas tomber.

Il émergea du puits, dégoulinant, sale, des éraflures sur les jambes et les mains.

— J'ai l'impression que… que ce n'était pas un accident, dit-il quand il eut repris son souffle.

Il souhaitait un démenti.

Il ne l'eut pas.

Audrey-Anne hocha gravement la tête.

— Tu as raison. Il a essayé de te tuer.

chapitre
19

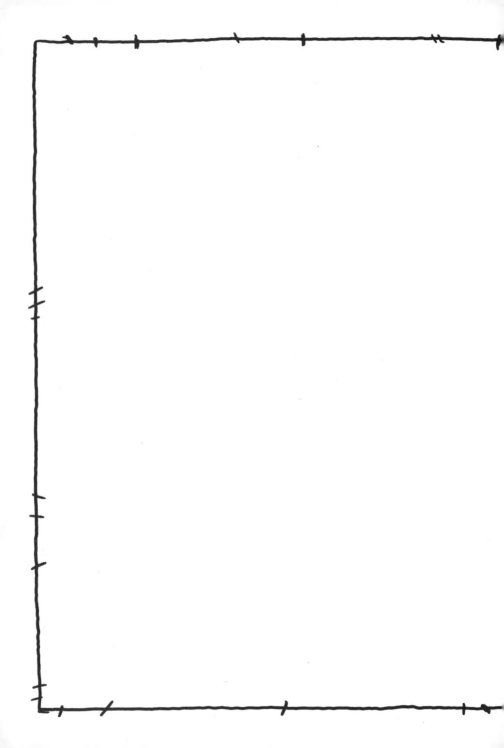

— Théo-Kalt… C'est comme ça que tu l'appelles ? lui demanda l'adolescente.

Sans attendre la réponse, elle poursuivit.

— Il est fort probable que tu le déranges. C'est pour ça qu'il veut se débarrasser de toi.

Déjà glacé et terrifié à cause de sa chute dans le puits, Nicolas se mit à trembler de la tête aux pieds. En plus, l'arrière de son crâne lui faisait un mal fou. Il palpa sa nuque et put sentir sous ses doigts une bosse de bonne taille.

Audrey-Anne l'entraîna vers son pick-up stationné sur un sentier situé à proximité. Elle attrapa une couverture dans le véhicule et la déposa sur les épaules du garçon.

— Dans la logique des choses, Kalt veut qu'il y ait le moins de témoins possible de l'apparition de la… nouvelle personnalité de Théo.

Nicolas sentit sa peur grimper d'un nouveau cran.

— Veux-tu dire que ma tante aussi est en danger ?

La fille aux cheveux verts n'était, en fait, pas inquiète pour Marie-Ève. En tout cas, pas pour une bonne dizaine d'années.

— Kalt ne s'attendait probablement pas à se retrouver dans un corps aussi jeune. Il n'est pas bête, il a vite compris que, dans la société d'aujourd'hui, il a besoin d'un adulte responsable jusqu'à sa majorité. Donc ta tante devrait être à l'abri pour l'instant. Surtout si elle se plie aux désirs de son… « fils ».

Cela ne rassura pas vraiment Nicolas.

— Elle risque de ne pas plier encore très longtemps. Il essaie de la convaincre d'acheter la maison et de s'y installer. Ça, ce n'est pas gagné.

— Oh, n'en sois pas si sûr ! Quand il aura retrouvé tous ses pouvoirs, il va la rendre docile. Et il a besoin de Baie-des-Corbeaux.

— Besoin ? Qu'est-ce que tu veux dire ?

L'adolescente lui apprit alors que le village était situé sur ce que les gens comme elle appelaient un croisement de lignes de forces surnaturelles.

Cette conjonction expliquait pourquoi les fondateurs du village, adeptes de rites païens, s'étaient installés à cet endroit. Ils avaient senti « quelque chose » en y arrivant. Une chose qui avait aussi attiré Lazare Kalt.

Deux jours plus tôt, Nicolas aurait éclaté de rire face à de tels propos. Ce n'était plus le cas aujourd'hui.

— Des gens… comme toi ? Des sorciers, tu veux dire ? Des « corbeaux » ? Tu dois m'éclairer.

Audrey-Anne s'expliqua. Elle compléta ainsi le récit que le garçon avait découvert dans *Baie-des-Corbeaux – Magie noire et sorcellerie*.

Quand Lazare Kalt avait fui vers l'Europe, Alitia avait pris la tête des disciples de son mari. Elle était devenue le Grand Corbeau. Mais elle avait modelé le culte et les rites à sa manière.

Elle était revenue aux croyances de ses ancêtres et avait tourné le dos à la magie noire de Kalt. Et elle s'était donné pour but de détruire celui qui lui avait arraché son enfant et volé le grimoire appartenant à sa famille depuis des générations.

Alitia s'unit à un autre homme et, bientôt, elle porta un autre enfant.

Une fille naquit. Elle était rousse comme sa mère, qui lui transmit son savoir, la haine des Kalt et le devoir de vengeance. Elle-même fit ainsi avec sa fille, qui le fit avec sa fille. Ainsi de suite d'une génération à l'autre, d'une sorcière rouge à l'autre.

L'une après l'autre, elles attendirent le retour du sorcier ou de l'un de ses descendants. Elles espéraient qu'un Kalt foulerait de nouveau un jour le sol de Baie-des-Corbeaux… ou peut-être savaient-elles qu'il le ferait.

C'est pour cette raison que la maison du peintre maudit n'avait pas été démolie et que ses toiles avaient été conservées, pour « appeler » les Kalt. C'est là que, accompagnée par sa mère, chaque nouvelle incarnation du Grand Corbeau apprenait son histoire et commençait son apprentissage.

— Si je comprends bien, le vert n'est pas ta couleur naturelle ? lâcha Nicolas, un sourire incertain aux lèvres, quand Audrey-Anne se tut.

L'adolescente comprit et lui sourit en retour.

— Je suis fille de fille d'Alitia la Rouge. Je suis sorcière. Je suis l'actuel Grand Corbeau. Ma lignée mettra fin à celle des Kalt et retrouvera enfin l'ensemble de son savoir à travers les pages du grimoire.

Elle fit une pause avant de conclure.

— Vas-tu m'y aider ?

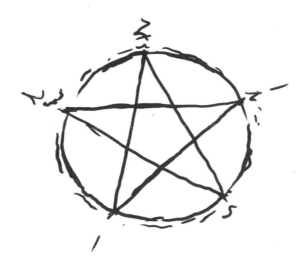

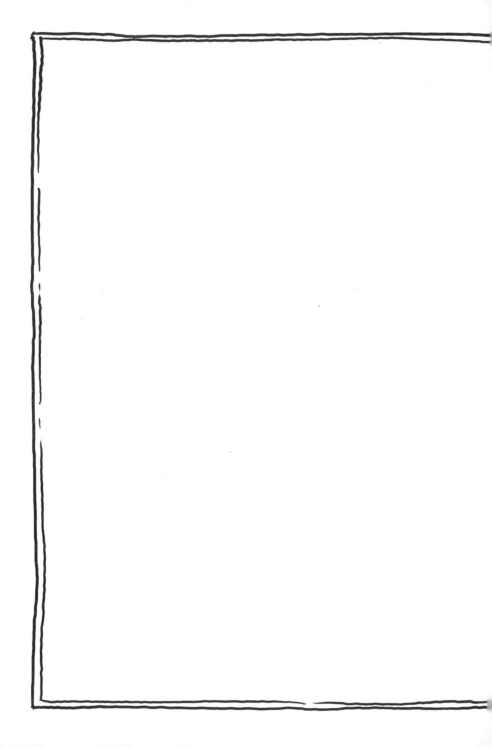

chapitre
20

Maintenant qu'il savait, Nicolas ne doutait plus. Il allait épauler Audrey-Anne. Et pas seulement parce que c'était le meilleur moyen de sauver son cousin.

– Qu'est-ce que tu attends de moi?

– Que tu sois prêt, ce soir même.

L'état de faiblesse de Théo, derrière la porte rouge, exigeait qu'ils agissent bientôt. Avant cela, Audrey-Anne devait se livrer à quelques préparatifs. Puis, une fois la nuit tombée, quand la lune serait levée, il fallait que Nicolas retienne Théo-Kalt hors du grenier jusqu'à ce qu'elle lui fasse signe.

À ces mots, le garçon pâlit et se mit à trembler.

– Je… je n'avais pas réalisé que je devais retourner à la maison et… et lui faire face.

Lui, c'est-à-dire l'Autre. L'entité qui venait de tenter de le tuer. Le tuer!

— T'en sens-tu capable ? lui demanda l'adolescente.

Non. Mais il n'avait pas le choix. Il acquiesça.
Audrey-Anne fit comme si elle le croyait.

— Surtout, n'oublie pas. Théo-Kalt doit croire
que tu ne le soupçonnes pas. Je fais confiance
à tes talents de comédien. Tu en as, j'espère. Tu
vas en avoir besoin.

«Je vais m'en trouver», se dit le garçon.

Peu après, la fille aux cheveux verts le laissait
à proximité de la maison. Dès qu'elle eut disparu,
il sortit du bois et avança sur la pelouse en
chancelant.

***

L'Autre était assis sur un des quatre fauteuils
Adirondack, le nez plongé dans une encyclo-
pédie.

«Il met ses connaissances à jour», pensa
Nicolas en s'approchant.

— Thé… Théo, fit-il d'une voix tremblotante.

Son « cousin » se leva d'un bloc, laissant échapper le gros livre.

– Que... Qu'est-ce que tu fais là ? bafouilla-t-il.

Nicolas se laissa tomber sur une chaise.

– J'ai... j'ai eu un accident. Suis tombé dans un puits.

Il posa une main sur sa nuque.

– Me suis cogné la tête. Ça fait vraiment... vraiment mal.

Il vit la fureur dans les yeux de Théo-Kalt, mais aussi la perplexité et la curiosité.

– Je... Ta mère m'a... obligé à t'accompagner, raconta-t-il. Elle ne voulait pas que tu sois seul. J'ai essayé de te rattraper et... voilà. Tout à coup, j'étais au fond du puits. Tu... tu ne m'as pas entendu crier ?

L'Autre ne répondit pas tout de suite. Il prit le temps d'étudier le garçon de la tête aux pieds. Les vêtements trempés, le visage maculé de terre, les mains sales et abîmées.

Il souda enfin son regard à celui de Nicolas.

– Non, je n'ai rien entendu.

Il mentait. Nicolas le savait. Pas question par contre de le montrer.

— En tout cas, une chance que j'ai fait de l'escalade en Alberta. Autrement, je ne m'en serais pas sorti.

Il se leva péniblement. Il avait mal partout, il n'eut pas besoin de jouer la comédie pour cela.

— Je rentre, grimaça-t-il. Faut que je me change. Peut-être que ce n'est pas la peine de… de parler de ça à ta mère, pour ne pas l'inquiéter.

— Bien d'accord! approuva l'Autre, dont les raisons de vouloir taire l'affaire étaient tout autres que celles de son « cousin ».

Bientôt, Nicolas se retrouva sous une douche brûlante. Il aurait voulu que le froid qu'il ressentait jusque dans ses os disparaisse. Mais ça, c'était impossible. L'eau ne pouvait le laver de la terreur qui l'habitait.

Plus tard, après le souper, il proposa, avec un emballement qu'il ne sentait pas, d'aller jouer à un jeu de société dans le solarium. Ce serait un agréable moyen de passer la soirée, non?

La proposition ne plut vraiment pas à Théo-Kalt. Son air renfrogné était éloquent. Marie-Ève, toutefois, fut plutôt ravie à cette idée.

– Ça fait tellement longtemps qu'on n'a pas joué à *Clue*! C'est vrai qu'à deux ça manque de défi! On y va?

Bientôt, la partie commençait et le colonel Moutarde s'en prenait à miss Scarlett dans la bibliothèque avec le couteau.

Nicolas se donnait à fond dans le jeu. Qu'il gagne ou pas lui importait peu. Il avait réussi à les entraîner, l'Autre et sa tante, dans la partie la plus éloignée du corps principal de la maison.

C'était maintenant à Audrey-Anne de jouer.

chapitre
21

Dans la remise à outils, la fille aux cheveux verts avait sorti la porte rouge de sa cachette et tenté de communiquer avec Théo. La réponse avait été faible, très faible.

— Je ne te connais pas vraiment, mais fais-moi confiance, avec Nic, on va te sortir de là très bientôt. Tiens bon, OK ? murmura-t-elle.

Peu après, elle reçut une notification sur son téléphone. Nicolas lui disait par texto qu'elle avait le champ libre. Elle n'attendait que cela pour détaler vers la maison, un gros sac sur son dos et, sous le bras, la toile dans laquelle Théo était prisonnier.

Une fois sous la trappe, elle coupa le cadenas au moyen d'une pince qu'elle retira de son sac. Nicolas lui avait mentionné qu'elle risquait de se heurter à cet obstacle.

Quelques secondes plus tard, elle était dans le grenier, où elle tomba face à face avec le portrait de Nicolas hurlant à pleins poumons dans un monde infernal.

Avec une grimace de dégoût, l'adolescente le déposa parmi les autres tableaux et mit la porte rouge à sa place, sur le rail du chevalet.

Puis, elle sortit une craie de sa poche, plia les genoux et traça une étoile à cinq branches sur le plancher. Les pointes du pentagramme frôlaient la courbe de l'ouroboros, résultant en un symbole puissant. Les forces du Mal ne pouvaient

en sortir si elles se trouvaient à l'intérieur. Et elles ne pouvaient y entrer si elles étaient à l'extérieur.

Ensuite, elle balaya la pièce du regard.

Elle s'y revit avec sa mère. Elle avait cinq ans. Laetitia n'était pas encore malade. Ou peut-être l'était-elle déjà et, avant que le mal ne progresse, bien avant qu'il ne l'emporte, elle avait voulu effectuer le rituel du Passage avec sa fille.

Elles étaient montées ici. Laetitia avait raconté comment Lazare Kalt avait autrefois trahi Alitia. Comment il avait enlevé leur fils nouveau-né et volé le grimoire ancestral. Comment la douleur initiale de la sorcière rouge s'était peu à peu muée en colère, puis en fureur, puis en désir de vengeance.

Elle avait transmis ce désir à sa fille, qui deviendrait un jour Grand Corbeau à sa place. Celle-ci lèguerait le devoir et le titre à sa fille, qui les passerait à sa fille, et ainsi de suite. Jusqu'au jour où un Kalt reviendrait à Baie-des-Corbeaux.

Ce jour-là, une sorcière rouge serait présente pour l'affronter, reprendre le livre sacré et détruire la lignée maudite de Kalt.

La grand-mère d'Audrey-Anne avait failli y parvenir. La maladie qu'Elias Kalt avait contractée lors de son installation au village était en effet le fruit de maléfices qu'elle lui avait lancés. Mais l'homme avait fui vers l'Europe avant de succomber. Du moins l'avait-elle cru.

Audrey-Anne savait à présent qu'il n'en était rien. Après s'être terrée pendant un siècle derrière la porte rouge, l'âme de Kalt était en train de se «télécharger» dans le corps de Théo. Les restes du sorcier ne pouvaient être très loin. Elle allait les trouver et les détruire avant que le transfert ne soit complet et irréversible.

Pour cela, elle avait besoin... de ça! Elle tira de son sac à dos une boîte de métal ouvragée dont le couvercle était frappé d'une tête de corbeau. Elle contenait une poudre qu'elle avait préparée un peu plus tôt : un mélange de sel, de soufre et de quelques gouttes de sang, le sien, celui du Grand Corbeau.

Elle posa le contenant sur le bord d'une fenêtre avant de se mettre à fouiller la pièce avec diligence.

Elle étudia attentivement le plancher, espérant y déceler la présence d'une autre trappe. Elle glissa sa main entre les étagères pour tâter le mur sur lequel elles étaient fixées, à la recherche d'une éventuelle porte dérobée.

Rien. Toujours rien.

L'adolescente soupira en s'essuyant le front. Elle en sentit alors la moiteur. Elle transpirait et elle se sentait faible. Elle sut. Elle sut que la pièce était lourde de la magie noire du sorcier. Déjà, ça l'affectait. La minait.

Elle accéléra le rythme de ses recherches et déplaça les tableaux appuyés contre le mur nu. Ils dissimulaient peut-être quelque chose.

chapitre
22

Pendant ce temps, dans le solarium, Marie-Ève, son «fils» et son neveu terminaient leur partie de *Clue*.

– Quelqu'un veut une tisane? proposa Nicolas en se levant. Je vais en faire.

Marie-Ève, qui en prenait tous les soirs, offrit de la préparer. Mais le garçon insista. Audrey-Anne lui avait donné un somnifère qu'il devait saupoudrer dans les tasses destinées à sa tante et à l'Autre.

Il valait mieux en effet que la suite des choses se déroule sans que Marie-Ève en ait conscience. Elle n'avait aucune idée de ce qui était en train de se produire et, si elle intervenait au mauvais moment, un désastre était à prévoir.

L'idéal aurait été que Théo-Kalt soit lui aussi ralenti par le sédatif.

Mais l'idéal n'avait pas sa place à Baie-des-Corbeaux.

L'Autre, comme s'il se doutait de quelque chose, trempa à peine ses lèvres dans la boisson. Entre deux tours de jeu, Nicolas trouva donc un prétexte pour s'absenter et communiquer avec Audrey-Anne.

« K pas bu tisane », texta-t-il.

« Retiens-le. Pas prête. »

Quand il retourna au solarium, Marie-Ève bâillait à s'en décrocher la mâchoire.

– Je n'écrirai pas ce soir ! Mon lit m'appelle.

Théo-Kalt fit une drôle de tête. Nicolas devina qu'il trouvait étrange ce soudain accès de fatigue chez sa « mère ».

– Je suis crevé aussi, laissa-t-il tomber. Je ne vais pas tarder à t'imiter.

Il se frottait les paupières, mais Nicolas sentait qu'il ne le lâchait pas des yeux et que son regard était plein de méfiance et de soupçons.

« Je me fais des idées », essayait-il de se convaincre… sans trop de succès toutefois. Pourtant, il devait continuer à jouer la comédie jusqu'à ce qu'Audrey-Anne lui fasse savoir qu'elle était prête.

– Tu m'aides à ranger avant de monter ? demanda-t-il à l'Autre. Ta mère apprécierait vraiment.

Théo-Kalt ne pouvait refuser. Il recherchait l'approbation de Marie-Ève. Mais dès que le dernier pion fut dans la boîte de jeu, il fit mine de quitter le solarium.

– Ça te dirait, un film ? proposa alors Nicolas. J'ai vu que tu avais *The Shinning...*

– J'ai sommeil, l'interrompit l'Autre. Il faut que je te le dise dans quelle langue ?

Le garçon comprit qu'il ne devait pas insister. Il ne faisait qu'empirer la situation et accroître les soupçons de l'Autre. Il se précipita à la suite de son « cousin » après avoir texté un rapide « On monte » à Audrey-Anne.

Un léger ronflement leur parvint aux oreilles quand ils passèrent devant la chambre de Marie-Ève.

– Mère était vraiment exténuée, murmura l'Autre.

Mère. Il n'avait même pas pris le temps de se corriger, remarqua Nicolas. Il ne vit pas cela comme un bon signe. Mais il devait retarder Théo-Kalt. Il tenta autre chose encore.

— Tu vérifies que la porte avant est verrouillée ? Je me charge de l'autre.

— Sûr ! grinça l'Autre sans cacher l'agacement qui le gagnait. Des hordes de cambrioleurs attendent sûrement qu'on soit couchés pour venir vider la maison de ses trésors.

Nicolas ne tint pas compte de la remarque. Il avait gagné une autre minute. C'était toujours ça. Il ne pouvait faire plus.

Bientôt, ils atteignirent l'étage. Ils allaient se séparer quand un bruit se fit entendre, provenant du grenier. Ils s'immobilisèrent instantanément et levèrent la tête vers le plafond.

Le temps d'un battement de cœur, Théo-Kalt comprit. Peut-être pas tout, mais assez pour savoir que quelque chose était en cours. Avant qu'il ne réalise ce qui lui arrivait, Nicolas fut propulsé dans sa chambre. L'Autre en bloqua la porte grâce à une chaise qu'il coinça sous la poignée.

— Hé, laisse-moi sortir !

— Ne sois pas pressé. Je règle ce petit problème et je te reviens. On va s'organiser pour que... je ne sais trop... disons, pour que tu succombes à une commotion cérébrale non diagnostiquée. Après tout, tu as fait une mauvaise chute dans le puits. Qu'est-ce que tu en penses ?

Nicolas n'en pensait rien. Il se mit à frapper la porte à coups redoublés. Il savait ses efforts inutiles, mais au moins, tout ce bruit allait alerter Audrey-Anne.

Il ne faisait en effet aucun doute que Théo-Kalt allait débarquer dans le grenier d'une seconde à l'autre.

Nicolas espérait que la fille aux cheveux verts serait prête.

chapitre
23

La fureur tordait les lèvres et enflammait les yeux de l'Autre quand il vit Audrey-Anne, debout au centre du grenier, près de la toile à la porte rouge.

— Qu'est-ce que tu fais-là ?! cracha-t-il.

— Je ne te ferai pas l'insulte de répondre à ça, Elias Kalt.

L'adolescente lui faisait face vaillamment, mais elle était inquiète. Elle s'en faisait entre autres pour Nicolas, qui aurait normalement dû suivre son « cousin », mais qui demeurait invisible. Ce boucan qui était monté jusqu'à elle après qu'elle eut fait tomber un tableau ne présageait rien de bon.

Et puis, elle n'avait trouvé ni les restes du sorcier pour les détruire, ni le grimoire où Kalt avait certainement consigné le sort par lequel il avait ensorcelé le tableau. Sa victoire dépendait tellement d'eux…

Elle n'avait donc que sa magie pour affronter le peintre maudit. Elle savait que ce n'était pas suffisant. Elle n'en laissa rien paraître.

Campée sur ses deux jambes, elle tenta le tout pour le tout, tendit les bras vers l'avant et commença à déclamer dans une langue ancienne.

L'Autre ne s'attendait pas à cela. Il se raidit, se mit à trembler. Son visage se fit masque de haine et de dégoût. Des mots, des mots d'une laideur et d'une noirceur remontant à la nuit des temps, franchirent alors ses lèvres comme des crachats.

La fille aux cheveux verts les reçut comme des coups. Ses genoux ployèrent. La sueur perla de nouveau à son front. Mais elle devait résister.

Résister.

Même si c'était difficile.

De plus en plus difficile.

Jusqu'à en devenir impossible.

Ce fut comme si une main se plaquait sur sa bouche.

Le transfert de l'âme de Kalt dans le corps de Théo n'était pas encore terminé, mais le sorcier n'était pas pour autant impuissant.

L'adolescente tomba. Heureusement, elle était sous la protection du pentagramme. L'Autre ne pouvait physiquement l'y rejoindre et l'écraser. Il allait se heurter au pouvoir de la sorcière rouge, et cette pensée était un baume pour la fille aux cheveux verts.

Mais.

Audrey-Anne ne comprit pas. Au lieu d'avancer vers elle, Théo-Kalt se précipita vers le mur nu du grenier, celui qu'elle avait dégagé des tableaux.

Vif comme l'éclair, il tira un canif de sa poche de pantalon, entailla la paume de sa main et traça un signe sur la cloison, avec son sang.

Ce faisant, il prononça quelques mots, toujours dans ce langage âpre, laid, aussi noir que
l'enfer où il avait probablement été créé.

Une porte, une porte rouge se dessina sur le
mur ! Et coulissa !

Un réduit dérobé apparut.

À l'intérieur du cagibi, Audrey-Anne aperçut
un squelette vêtu de lambeaux de vêtements,
recroquevillé sur le plancher. La vision ne dura
pas plus d'une seconde. La porte coulissait de
nouveau, se refermant dans le dos de Théo-Kalt.

Au même moment, quelqu'un se mit à cogner
à l'un des volets.

Nicolas !

L'adolescente se précipita et ouvrit la fenêtre.

– Vite ! Je glisse ! murmura le garçon d'une
voix pantelante.

Elle lui tendit la main et le tira à l'intérieur de
la pièce, faisant tomber sans s'en rendre compte
la boîte de métal dont une partie du contenu se
répandit sur le plancher.

– Ça va aller, Nic ?

Celui-ci n'entendit pas.

– Où… où est Kalt ? Et Théo ? !

Audrey-Anne toucha la toile, mais n'eut pas le temps d'ajouter quoi que ce soit. La paroi coulissa de nouveau.

Théo-Kalt émergea du réduit.

Il brandissait le grimoire des sorcières rouges.

chapitre
24

Le regard malveillant de l'Autre s'attarda sur Audrey-Anne.

— Tu me surprends, fille. J'ai passé assez de temps avec l'autre idiot…

— Heille! s'outra Nicolas.

— … pour savoir combien il est insignifiant. Mais toi, TOI! Le sang d'Alitia coule en toi. Il est vif, il est fort. Quelle jouissance vais-je avoir à le répandre ici même, lieu de MA résurrection prochaine!

Il scandait les mots, des mots qui juraient dans la bouche de Théo, en marchant vers l'adolescente.

Jusqu'à ce qu'il ne puisse plus faire un pas de plus.

Comme s'il avait heurté un mur invisible. Il baissa les yeux et remarqua le pentagramme.

Nicolas profita de cet instant suspendu pour sauter sur son dos, dans une tentative pour lui arracher le grimoire.

Et il hurla.

Il hurla lorsque la lame du canif s'enfonça dans sa cuisse. Une fois. Deux fois.

Le garçon tomba, lourdement.

Impuissant, il vit l'Autre lever le bras pour lui porter un troisième coup. Il roula sur lui-même pour éviter une autre blessure, mais bientôt, il se retrouva coincé sous une des fenêtres. Il serra la mâchoire et ferma les yeux, attendant la douleur.

C'est plutôt Théo-Kalt qui cria.

Audrey-Anne avait franchi le symbole protecteur pour se porter au secours de Nicolas.

Bien qu'affaiblie par sa confrontation avec l'Autre, la fille aux cheveux verts était grande et forte. Plus grande et plus forte que le corps utilisé par Kalt. Elle le prit de court et l'empêcha de frapper son allié.

Ils roulèrent sur le plancher dans un enchevêtrement de bras et de jambes. Dans la bagarre, l'Autre laissa échapper le grimoire. Nicolas se traîna dans sa direction. Il voulait le prendre et le passer à l'adolescente dès qu'il le pourrait.

Le combat faisait rage entre le sorcier noir et la sorcière rouge. Ils se cognaient, se griffaient. Quand, à bout de souffle, ils roulèrent loin l'un de l'autre, Audrey-Anne sauta sur ses pieds, ouvrit la bouche et tendit les bras pour lancer une incantation.

Elle remarqua alors la trace de craie sur sa main. Elle pâlit.

L'Autre, aux aguets comme devant une proie, suivit son regard. Et vit la même chose.

Le temps sembla s'arrêter.

Puis un sourire mauvais éclaira le visage de Théo-Kalt. Il repéra le grimoire, duquel Nicolas s'approchait. Il donna un coup de pied au garçon, s'empara du précieux livre et reprit sa marche vers le chevalet.

À travers le pentagramme dont le tracé avait été brisé.

La protection contre les forces du Mal était rompue. L'Autre franchit le symbole sans problème, grimoire à la main. Il apposa sa paume entaillée sur la couverture. Le sang fit « réagir » le livre, qui s'ouvrit.

Nouvelle grimace satisfaite de Théo-Kalt. Il parcourut la page qui s'offrait à lui et recommença à prononcer des mots, une formule, un sort.

La porte rouge du tableau dans lequel se trouvait Théo, ou ce qui restait de Théo, devint écarlate.

Audrey-Anne comprit alors.

Elle comprit tout.

Kalt n'avait plus besoin de Théo. Il avait «apprivoisé» son corps, il était en phase avec sa nouvelle réalité.

Il allait refermer la porte rouge à tout jamais. Complétant le transfert.

Signant ainsi la disparition du garçon.

Cela devait se faire là, bien sûr. Là où tout avait débuté. Près d'un siècle plus tôt. Au centre de l'ouroboros.

Exactement là où l'adolescente avait fait l'erreur de placer la toile maudite.

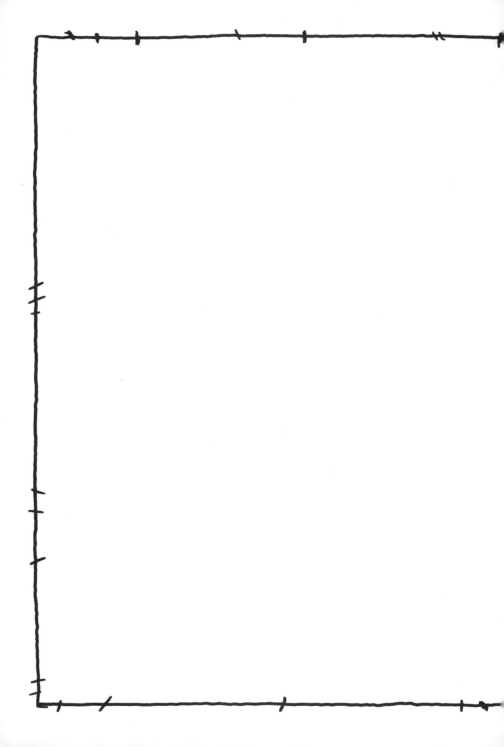

chapitre
25

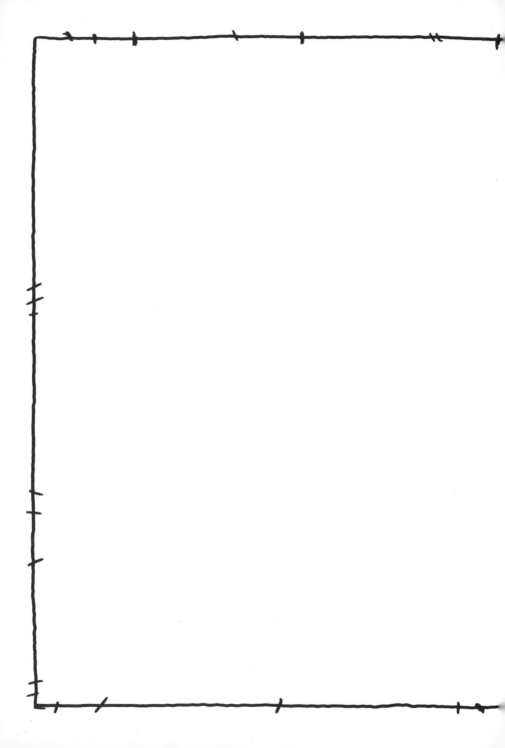

Audrey-Anne ne se laissa pas gagner par la panique. Elle n'avait pas ce droit-là. Tandis que Théo-Kalt tendait sa main en sang vers la toile, elle balaya la pièce des yeux. Elle réalisa alors que la boîte de métal ne se trouvait plus sur le rebord de la fenêtre.

Elle était sur le sol, une partie de la poudre qu'elle renfermait répandue sur le plancher. Près de Nicolas.

Elle cria quelque chose au garçon tout en bondissant vers le sorcier pour le retenir, l'empêcher de commettre le pire. Il la repoussa sans la toucher, d'un geste vaste qui l'expédia à l'autre bout de la pièce, où elle s'écrasa contre les étagères dont le contenu tomba sur elle.

Nicolas avait compris. Peut-être pas ce qu'elle avait dit, mais la teneur du message. Il avait vu assez de films d'horreur pour cela. Il prit une poignée de poudre et la jeta sur les restes de Kalt dans le cagibi.

La réaction fut immédiate. Comme pris de phosphorescence, le squelette s'illumina d'un bleu-vert iridescent. En l'espace de trois, quatre secondes tout au plus, il se désagrégea en une multitude de parcelles incandescentes qui s'éteignirent et disparurent sitôt envolées.

Dans le corps de Théo, le cri de l'Autre se fit inhumain.

Là, sous le regard interloqué de Nicolas, et celui d'Audrey-Anne qui s'était ressaisie, il reprit ses traits véritables : les traits de Kalt.

Ses mains furent les premières à se dessécher, à craqueler puis à fendre. Le phénomène atteignit son visage. Tournant les yeux vers Nicolas, le peintre maudit lui adressa un ultime regard accusateur avant que ses orbites ne se creusent puis se vident.

La chair devenait poudre qui, plutôt que de tomber par terre, flottait telle une nuée vers la porte rouge.

Le tableau !

À mesure que ce qui restait du sorcier était absorbé par la toile, celle-ci s'étirait par endroits sous l'assaut de… de mains !

Théo ! Théo essayait de sortir du tableau !

Audrey-Anne et Nicolas se précipitèrent. La première attrapa la poignée peinte qui se matérialisa. Elle poussa le battant.

Du noir.

Puis des doigts, une main, un bras en sortirent.

Nicolas le tira de toutes ses forces. Théo s'écroula sur lui au moment où la dernière parcelle de Kalt disparaissait à l'intérieur du tableau.

— Théo! Théo, ça va?! Dis-moi que ça va!! criait le garçon en se dégageant pour voir son cousin.

Théo semblait complètement perdu.

— Je… Oui, je… je pense que ça va, bafouilla-t-il.

Devant ce constat tout simple, mais heureux, les deux cousins tombèrent dans les bras l'un de l'autre.

Un raclement de gorge les ramena sur terre au bout de quelques secondes.

— Désolée d'interrompre ces émouvantes retrouvailles, fit Audrey-Anne. On n'en pas encore fini avec…

Elle désigna le tas de cendres qui avaient été le squelette de Kalt.

– … avec lui.

Théo étudia l'adolescente avec curiosité.

– C'est qui, elle ? demanda-t-il à son cousin.

Sur le coup, Nicolas ne comprit pas. Puis, il s'esclaffa.

– J'avais oublié que tu n'étais plus toi-même quand elle est apparue dans le décor ! Théo, je te présente Audrey-Anne.

– Audrey-A… Oh ! La fille qui tond le gazon !

Nicolas et l'adolescente émirent un petit rire complice.

– Elle est un peu plus que ça. Je vais te raconter…

– … tantôt, le coupa la fille aux cheveux verts. Pour l'instant, vous m'aidez.

Elle montra la porte rouge.

– Nous allons faire un joli feu avec tout ça, histoire d'être sûrs de ne plus jamais avoir affaire à ce sale type.

Bien que traînant de la patte à cause de sa blessure, Nicolas alla s'assurer que Marie-Ève dormait toujours. C'était le cas. Ils récupérèrent alors un briquet dans la cuisine, sortirent et flanquèrent le tableau de la porte rouge dans le foyer en acier.

Nicolas, à la traîne, car il boitait, y ajouta la plus récente œuvre d'Elias Kalt. Celle où il hurlait, l'enfer autour de lui et dans sa tête.

— Tu permets, Théo ? Je sais que tu y as mis beaucoup d'efforts, mais elle est associée à trop de mauvais souvenirs, pouffa-t-il en tendant le briquet à son cousin. À toi l'honneur !

Théo prit le briquet, l'alluma et mit le feu à la toile, qui s'embrasa aussitôt en laissant échapper des flammes bleu-vert. À l'instar des restes d'Elias Kalt, les tableaux s'évaporèrent en une fine brume luminescente.

La porte rouge se ferma à jamais.

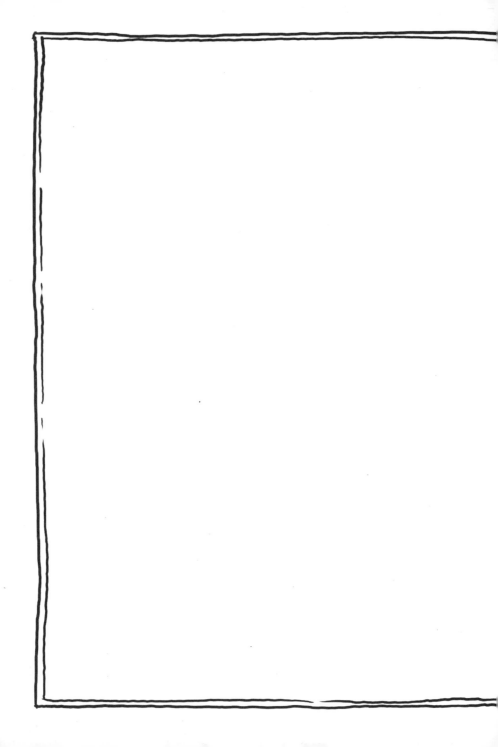

épiLogue

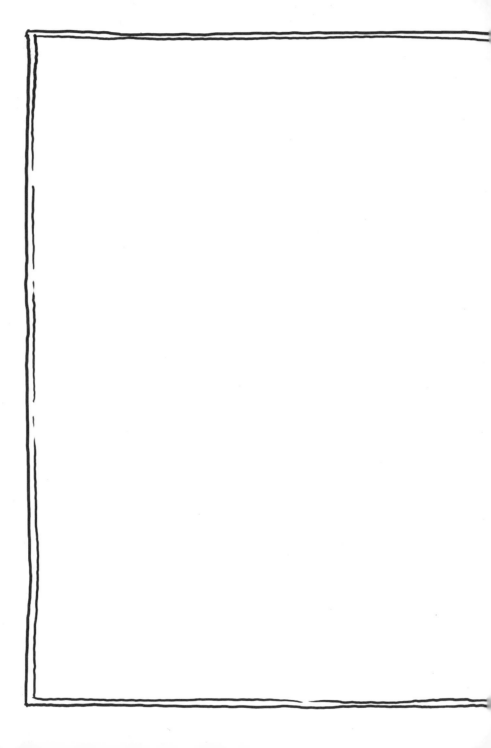

— Et puis, c'était comment… là, derrière ? demanda un peu plus tard Nicolas à Théo.

Ils étaient retournés dans le grenier « exorcisé », avec Audrey-Anne qui avait tenu à s'assurer que toute trace du peintre maudit avait disparu.

— Noir, épais. J'avais l'impression que j'étais en train de… de m'effacer.

— C'est exactement ce qui était en train de t'arriver, laissa tomber l'adolescente. Tu as de la chance que Nic n'ait pas abandonné, malgré ce que « tu » lui as fait subir.

— Hein ? ! Qu'est-ce que j'ai fait, cousin ? s'alarma Théo.

Nicolas grimaça.

— Tu veux dire à part avoir tenté de me noyer dans un puits et charcuté ma cuisse comme si tu pensais que c'était un jambon ?

Théo écarquilla les yeux, ouvrit la bouche. Aucun son n'en sortit.

— Tu as besoin de ta pompe? s'inquiéta Nicolas en sautant sur ses pieds, prêt à aller chercher l'inhalateur.

— Euh... non. Non, pas du tout. C'est bizarre...

Il prit une grande inspiration. Expira. Inspira encore.

— ... mais j'ai vraiment le sentiment que je ne suis plus asthmatique, avança-t-il.

Il regarda Audrey-Anne.

— Ça se peut?

L'adolescente pouffa de rire.

— Garde ton inhalateur au cas où, mais après ce qui vient de nous arriver, je te dirais que tout se peut!

Elle se tourna vers Nicolas.

— Qu'en penses-tu, Nic?

— J'en pense que la réponse est peut-être là-dedans, répliqua-t-il.

Le grimoire reposait sur ses genoux. Une lueur de convoitise s'alluma dans les yeux de l'adolescente. Elle tendit la main. Instinctivement, Nicolas serra le livre contre lui.

— On ne devrait pas le détruire ? demanda-t-il.

— Oui, afin d'éliminer tout ce qui appartenait à Kalt ! ajouta Théo.

Le visage d'Audrey-Anne s'assombrit. Elle n'était pas d'accord.

— Les risques qu'il revienne sont infimes. Et n'oublie pas que nous, les sorcières rouges, sommes les premières et les véritables propriétaires du grimoire. Les Kalt avaient usurpé notre savoir. Un savoir qui peut apporter beaucoup de bien.

— Apporter à qui ? rétorqua Nicolas. Au Grand Corbeau ?

— Quel corbeau ? demanda Théo, complètement largué.

— Nic, reprit l'adolescente, je t'ai aidé. Rien ne dit que je ne t'aiderai pas encore. D'ailleurs…

Elle posa sa main sur la cuisse du garçon, là où le couteau s'était enfoncé deux fois. Elle ferma les yeux. Nicolas sentit la chaleur remplacer la douleur. Lorsque la fille aux cheveux verts retira sa main, la blessure avait disparu.

— Crois-moi quand j'affirme avoir besoin du grimoire, poursuivit Audrey-Anne. Pour les bonnes raisons. Ce livre est plus qu'un livre. Et moi… tu as vu que je pouvais franchir sans problème l'étoile protectrice ? Ma magie n'est pas noire, je ne suis pas le Mal. Regarde.

Audrey-Anne souffla alors légèrement sur le grimoire qu'il tenait dans ses mains. Elle murmura quelque chose dans une langue aussi belle que la musique et les rêves les plus agréables.

Le vieux livre sembla prendre vie. Il s'ouvrit. Un doigt invisible en tourna les pages encore et encore. Et encore.

Jusqu'à ce qu'il se referme tout en douceur.

Nicolas observa l'adolescente. Elle soutint son regard sans ciller. Et il ne pouvait voir aucune ombre dans le sien. Il lui tendit donc le grimoire sans la lâcher des yeux.

— OK, est-ce qu'il se pourrait que vous m'ayez caché des choses ? fit alors Théo, rompant ainsi la tension entre les deux autres.

— Quelques-unes, vieux... répondit son cousin en se tournant vers lui. Heureusement, il nous reste un mois et demi à passer ici pour te mettre à jour.

— Ne me dis pas qu'après avoir affronté un sorcier on risque de croiser... un fantôme ? rigola Théo.

— Qui sait ? Ou un vampire, pouffa Nicolas.

— Ou un loup-garou ! ajouta Audrey-Anne avec un sourire énigmatique. Après tout, nous sommes à Baie-des-Corbeaux.

Sonia Sarfati

Née à Toulouse, Sonia Sarfati a étudié en bio-
logie et en enseignement avant de se tourner
vers le journalisme. Pendant près de 30 ans,
elle a écrit dans les pages culturelles du journal *La Presse*, entre autres dans les sections
Cinéma et Lecture. Ce travail au quotidien ne l'a
pas empêchée de signer plus d'une quarantaine
d'albums et de romans jeunesse, dont plusieurs
ont connu un vif succès. À la courte échelle, elle
a notamment fait paraître *Comme une peau de
chagrin*, un roman pour adolescents qui a été
récompensé du Prix littéraire du Gouverneur gé-
néral en 1995. Ses fils, tous deux illustrateurs,
collaborent parfois avec elle, pour le plus grand
plaisir des jeunes. Son mini-roman *Les Trois
Grands Cauchon* (Québec Amérique, 2014),
illustré par son fils Jared Karnas, a remporté le
Prix Tamarac Express en 2016 et *Quatre contre
les loups* (Éditions de L'Homme, 2017), mis en
images par Lou Victor Karnas, a été finaliste au
Prix jeunesse des libraires 2018.

Jared Karnas

Jared Karnas a étudié en dessin d'animation au Cégep du Vieux Montréal. Diplômé en 2005, il travaille depuis sur divers projets de dessins animés pour la télévision et pour le Web. Il illustre aussi des livres jeunesse. Avec sa mère, Sonia Sarfati, il a entre autres signé *Les Trois Grands Cauchon*, qui leur a valu de remporter le Prix Tamarac Express de l'association des bibliothèques de l'Ontario.

la courte échelle (noire

Des romans pour les amateurs de sensations fortes.

(HORREUR)   (SUSPENSE)   (ENQUÊTE)

(7 ANS et +)

(9 ANS et +)

(11 ANS et +)

Dans la même collection

La champ maudit
François Gravel

L'homme de la cave
Alexandre Côté-Fournier

*L'agence Mysterium –
L'étrange cas de madame Toupette*
Alexandre Côté-Fournier

Les vieux livres sont dangereux
François Gravel

Je suis un monstre
Denis Côté

Terminus cauchemar
Denis Côté

MARQUIS

Québec, Canada

RECYCLÉ
Papier fait à partir
de matériaux recyclés
FSC® C103567

FSC
www.fsc.org

Imprimé sur du Rolland Enviro, contenant 100% de fibres
postconsommation et fabriqué à partir d'énergie biogaz.
Il est certifié FSC®, Procédé sans chlore,
Garant des forêts intactes et ECOLOGO 2771.

PERMANENT

100%

Garant
des forêts
intactes^{MC}